増補改訂版

ネコのきもちがマルわかり

ネコの看《み》取《と》りガイド

監修／服部 幸
東京猫医療センター院長

X-Knowledge

はじめに

昔に比べて、猫の寿命は確実に延びています。動物医療の技術の発達、飼い主の意識の向上、ペットフードの普及や研究などの影響が大きいと考えられます。

ただ、いくら寿命が延びたといっても、命にはかぎりがあります。猫は、人間よりも約５倍の早さで年齢を重ねていきます。どうしても、いつかは愛猫とお別れしなければならない日が訪れます。

愛猫が死に至るまでの間、少しでも充実した日々を過ごしてもらいたい、肉体的・精神的苦痛をできるだけ和らげたい。悔いのないよう、できるかぎりのことをしたいと、どの飼い主も願っているのではないでしょうか。

この本は、最期《さいご》の３ヶ月を迎えた愛猫に何をしてあげたらいいのか、そして、「看取《みと》り」に関することを解説しています。終末期における、食事、排泄《はいせつ》、運動など、日常のお世話から、病気のこと、そして臨終《りんじゅう》前後のことなどについてです。次のページに、「猫の健康を守る10の約束」を紹介しています。高齢猫と付き合ううえで知ってほしい10のことが書かれています。これからのお世話の参考にしてください。

飼い主と愛猫のおかれている環境や状況には、それぞれ違いがあります。愛猫の看取《みと》りについて、必ずしも、「こうしなければいけない」ということはありません。

現在、愛猫の看取《みと》りの時期を迎えている人や、将来、いつか迎える看取《みと》りの時期をどのようにしてあげたらいいのかと考えている人にとって、少しでも本書の内容が手助けとなれば幸いです。

猫の健康を守る10の約束

1 猫は人より5倍ほど早く一生を終えることを知ってください

15歳以降は超高齢期で、人間でいうと76歳以上なの。私との時間を大切にしてね（P16）。

2 動物病院の健康診断を受けさせてください

10歳までは年1回、11歳からは半年に1回、検査に連れて行ってね。自宅で行う毎日のチェックも重要だよ！（P30）

3 つらさを我慢していることに気づいてください

私たち猫は、人間に弱さを見せないの。でも、飼い主のあなたは、私の苦しみに気づいてね、約束だよ（P50）。

4 猫が遊んでいる様子も丁寧に観察してください

かかとを床につけたり、首を下げたりして歩いているときは病気の可能性が（P62）。普段の様子からも異変を見つけてね。

5 スキンシップでしこりを見つけてください

私の機嫌がよいときは、おなかや背中を優しくなでてね。そのとき、不自然なしこりを見つけたら、すぐに病院へ連れて行ってほしいの（P80・82）。

6

飲水量が増えたら腎臓病を疑ってください

15歳を超えた猫の約8割が腎臓病を患うんだよ。必ずしも腎臓病とはかぎらないけど、いずれにしても飲水量の増加は病気のサイン。早期発見が大切なの！（P86・94）

7

おしっことうんちは健康のバロメータであることを知ってください

おしっこが1日出なかったり、うんちが3日出なかったりするときは、すぐに病院へ連れて行ってね（P88・90）。

8

体重が減ったら病気を疑ってください

1ヶ月で体重が全体の5％減ったら、病気の場合がほとんど。すぐに病院へ連れて行ってね（P96）。

9

互いの健康のために感染症の予防をしてください

年1回のワクチンで防げる感染症もあるよ（P98）。長く一緒に暮らすために、予防注射を受けさせてください。

10

最期《さいご》が訪れたら優しく見送ってください

私たちが旅立つのは、あなたを悲しませるためじゃないの。最期《さいご》まで、笑顔でそばにいてください（P127）。

目次

第3章 行動から病気を読み取る

第4章 終末期の猫に多い病気とケア …… 093

ブックデザイン：細山田デザイン事務所（米倉英弘）
組版：ライラック（本田麻衣代）・ナイスク（小池那緒子）
編集協力：ナイスク（松尾里央、石川守延、岩﨑麻衣、高作真紀）
溝口弘美、金子志緒、山川稚子
イラスト：伊藤ハムスター
印刷・製本：加藤文明社

第1章

知っておきたい猫の一生

治療に関する多くの情報を得ていれば、よりよいケアを選択でき、悔《く》いのない最期《さいご》を迎えられます。

終末期の治療はどこまで必要？

ベストな選択をするために情報を集める

よりよい最期《さいご》を迎えるためには、正しい情報が欠かせません。悔《く》いのない終末期を選択できるように、猫が元気な頃からケアの方法を家族で話し合っておきましょう。かかりつけの動物病院に相談して、情報を得ておくことも大切です。病気の症状や治療によって、医療費、通院の頻度、猫の心身の負担などが変わります。メリットとデメリットを把握して、判断しましょう。獣医師が猫の性格や病状を考慮し、治療法を提案することもあります。

1
ケア・治療法のメリットとデメリットを知る

動物病院での治療は回復が望める反面、頻繁な通院が必要です。自宅でのケアは猫への負担が少ない反面、「現状維持」を目指すケアになります。

メモの重要性

獣医師の話をメモしておくと、治療法など今後のことについてじっくり検討できます。

2
飼い主としてできることはどこまでか考える

事前に、無理のない医療費や通院のペースを家族で相談しましょう。それが飼い主の責任であり、猫にとってよりよい選択にもつながります。

状況を整理して

まず猫の状態を整理し、自分の状況と照らし合わせると、「できること」「できないこと」が明確になります。

3
一番大切なのは後悔しないこと

さまざまな情報から、ケアや治療の方法を選択することが大切です。「猫のために尽くせなかった」と後悔しない最期《さいご》を迎えるための最初の準備です。

猫の幸せとは

今まで愛情を注いで育てたなら、飼い主が「一番よい」と思った決断が、猫の幸せにつながります。

猫の平均寿命を知る

平均寿命は完全室内生活の「家猫」が最も長く、屋外で過ごす「半外猫」と「野良猫」が短い傾向にあります。

野良猫　半外猫　家猫

家猫、半外猫、野良猫で大きく変わる平均寿命

平均寿命は室内生活の「家猫」が約16歳、室内と屋外を行き来する「半外猫」が約14歳と、家猫は平均寿命が長い傾向にあります。家の外に出る半外猫や野良猫は交通事故や感染症の危険があり、平均寿命が短めです。猫の生活環境を整えることが長寿を支え、幸せな最期《さいご》への準備になります。寿命の8割をすぎたら高齢猫（シニア）です。家猫は約13歳、半外猫は約11歳、野良猫は個体差があるのでその時点の状態が目安になります。

飼い猫の平均寿命の推移

室内で暮らす家猫と屋外でも過ごす半外猫の寿命には差がありますが、いずれもこの10年で寿命は長くなっています。

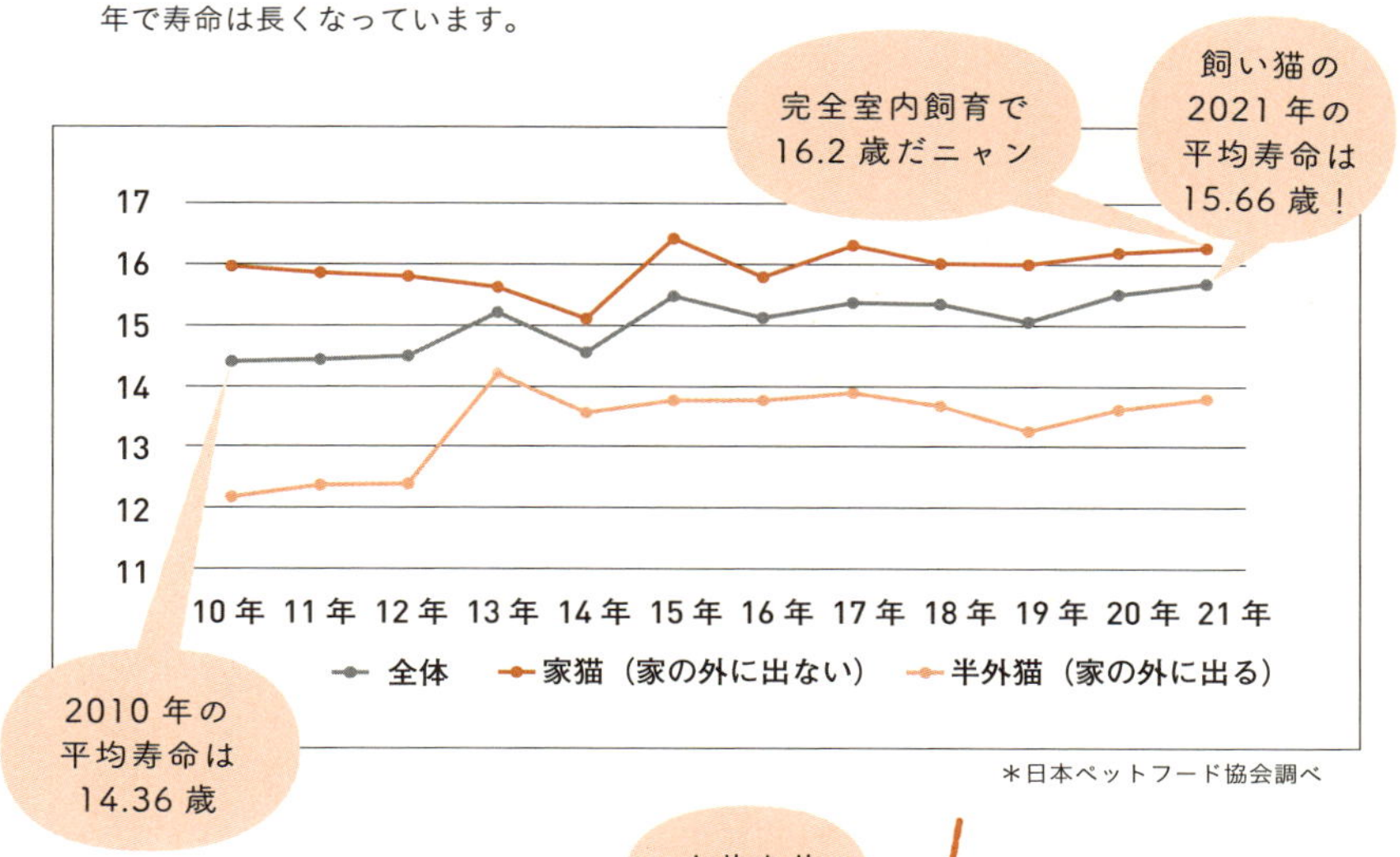
完全室内飼育で
16.2 歳だニャン
飼い猫の
2021 年の
平均寿命は
15.66 歳！
17
16
15
14
13
12
11
10 年 11 年 12 年 13 年 14 年 15 年 16 年 17 年 18 年 19 年 20 年 21 年
全体
家猫（家の外に出ない）
半外猫（家の外に出る）
2010 年の
平均寿命は
14.36 歳

＊日本ペットフード協会調べ

カリカリ
最高

猫の食事は
総合栄養食が基本

総合栄養食には猫が一日に必要とする栄養が、バランスよく含まれていて、水と一緒に摂取することで猫の健康維持に役立ちます。

1 猫の長寿化が進む

完全室内生活の家猫が増えただけでなく、猫医療の発展や、成長段階に合わせた栄養バランスのよいキャットフードが充実してきたことなどで、猫の寿命は年々長くなっています。

2 純血種より雑種の寿命が長い

品種別の平均寿命を調べた右のデータを見ると、日本猫・混血猫は他の品種より寿命が長いことが分かります。純血種は特定の遺伝性疾患にかかりやすいことから短命な傾向にあると考えられます。また雑種のほうが、比較的免疫力が高いので、強く丈夫な猫が多いと考えられています。

順位	品種	平均寿命(歳)
1	日本猫	15.1
2	混血猫	15.0
3	ラグドール	14.9
4	ノルウェージャンフォレストキャット	14.0
5	ロシアンブルー	13.8
6	スコティッシュフォールド	13.7
7	アメリカンショートヘア	13.5
8	マンチカン	13.4
9	ブリティッシュショートヘア	13.0
9	メインクーン	13.0

＊アニコム損保契約数上位10品種の猫の平均寿命（2019年度）
／「アニコム家庭どうぶつ白書2021」

猫の年齢ステージを知ろう

猫は生後約1年半で人間の成人相当に成長します。その後は1年におよそ4歳ずつ歳を重ねます。

子猫期　青年～成猫期　壮年《そうねん》期　高齢～超高齢期

猫の11歳は、人間でいうと還暦

猫は一般に、7～10歳が壮年《そうねん》期、11～14歳が高齢期、15歳以上が超高齢期とされます。

飼い主は自分の猫が何歳かは把握していますが、人間の年齢に換算すると何歳か、ということはあまり意識していないようです。愛猫の歳を左ページの換算表で確認してみてください。生後数ヶ月で迎え入れた子猫が、いつの間にか飼い主の年齢を抜かして高齢猫になっているのです。そろそろ終末期について考える時期かもしれません。

猫と人間の年齢換算表

平均寿命の8割をすぎたら「高齢猫（シニア）」といわれます。現在、飼い猫の平均寿命は15.66歳なので（P15）、12歳をすぎた高齢期から終末期について考えましょう。

ライフステージ	猫の年齢	人の年齢
子猫期 一番元気で、猫として猫社会のルールを学ぶ時期です。	0～1ヶ月	0～1歳
	2～3ヶ月	2～4歳
	4ヶ月	5～8歳
	6ヶ月	10歳
青年期 大人の入り口で、性成熟を迎える時期です。メスは生後5ヶ月～12ヶ月で、オスは生後8ヶ月～12ヶ月で性成熟します。	7ヶ月	12歳
	12ヶ月	15歳
	18ヶ月	21歳
	2歳	24歳
成猫期 気力、体力が一番充実している時期です。野良猫のボス猫は、多くがこの年代です。	3歳	28歳
	4歳	32歳
	5歳	36歳
	6歳	40歳
壮年《そうねん》期 目に見えない老化がはじまるなど、体力が徐々に落ちてくる時期です。近年では、「シニアの入り口」とされています。	7歳	44歳
	8歳	48歳
	9歳	52歳
	10歳	56歳
高齢期 「シニア」といわれるのは、この時期からです。13歳から目やひざ、爪などに老化が見られます。	11歳	60歳
	12歳	64歳
	13歳	68歳
	14歳	72歳
超高齢期 余生をのんびりと過ごす一方で、体調を崩しやすい時期です。環境の変化や猫だけの留守番は極力控えましょう。	15歳	76歳
	16歳	80歳
	17歳	84歳
	18歳	88歳
	19歳	92歳
	20歳	96歳
	21歳	100歳
	22歳	104歳
	23歳	108歳
	24歳	112歳
	25歳	116歳

参考資料：AAFP（全米猫獣医師協会）、AAHA（全米動物病院協会）

環境で変わる猫の死因

野生動物の習性が残る猫は、家猫でも、死の間際まで自力で活動し、体調が悪いと隠れることも。

猫はギリギリまで自力で生きようとする動物

猫は、野生としても生きていける、ペットの中でも強い動物です。

終末期まで自力で活動できる一方、内科的な病気で介護が必要になったら、余命は3ヶ月ほどのことが多いです。

また、「家猫」、「半外猫」、「野良猫」で死因の傾向が異なります。生活環境は寿命にも大きく影響します。

猫は体調が悪いときに隠れる習性があります。野生では、弱った状態を見せると、狙われやすいからです。ときには静かに見守ることも大切です。

1

外へ出る猫は事故や感染症に注意

屋外へ出る猫は、交通事故や感染症（P98・100）などで命を落とすことも。農薬を口にしたり虐待されたりする危険もあります。

ワオ、新世界

「外」の危険性

家猫にとって、外の世界は未知の世界。「防げる事故」に遭《あ》わないためにも、不用意な外出はさせないほうが安心です。

2

家猫は終末期に病を抱えることが多い

家猫は事故や感染症の危険が少なく、平均寿命が約16歳と長めです。最期《さいご》は腎臓病（P94）やがん（P104）などの重い病気で亡くなることもあります。

老後はのんびりにかぎる

「リラックス」の大切さ

ストレスは病の大敵です。暖かい窓際など、猫が好む場所でのんびりさせてあげれば、リラックスでき、ケアのひとつとなります。

3

寿命には生活環境が影響する

猫の寿命や死因には、猫種や血統よりも生活環境が大きく影響するといわれています。食事や住まいを工夫して長寿を目指しましょう。

みんな違って
みんな自由！

先入観をなくす

「うちの子は○○種だから……」と傾向だけで治療をあきらめず、その子にとってのベストを尽くすことが大切です。

猫のクオリティオブライフを考えよう

終末期においても猫のクオリティオブライフ（生活の質）の維持を目指します。

猫と飼い主の両者がハッピーになることが大切

終末期の猫にとって「幸せな」治療やケア方法を決めることが、飼い主の責任です。重い病気の治療は、通院や投薬が頻繁になる場合も。猫と飼い主の負担が大きくなるため、治療の継続を迷うこともあるでしょう。しかし、すべての医療をあきらめる必要はありません。病気に起因する痛みやつらさを、緩和ケアで取り除くこともできます。担当獣医師と猫のクオリティオブライフ（QOL）の維持を考え、よりよい方法を選択しましょう。

1 治療法を選択する

治療方法は、大きく分けると原因療法と対症療法の２つです。原因療法は病気の原因を取り除く治療で、対症療法は苦痛や痛みを取り除く緩和ケアです。いずれも強さや頻度などによって、治療の度合いが変わります。

飼い主にできること

猫の一番の理解者は飼い主です。猫の細かい変化を獣医師に相談し、より正確な猫の状態を把握して、ケアの方法を判断しましょう。

2 痛みやつらさを取り除く緩和ケア

痛みがあるなら鎮痛《ちんつう》剤、吐き気があるなら制吐《せいと》剤を投与、水が飲めないなら点滴で水分補給をします。

緩和ケアの意義

緩和ケアは自宅でも行えます。痛みなどが少しでも軽減すれば、猫の生活の質があがります。より快適な状態にしてあげることも大切です。

3 理想は苦痛がなく天寿を全《まっと》うすること

元気な老後を迎えて、安らかに天寿を全《まっと》うすることが理想です。猫の状態に合わせて室内をバリアフリーにしたり（P32）、フードをふやかしたり（P38）して、苦痛と無縁の暮らしを目指しましょう。

当たり前を当たり前に

毎日の積み重ねが、猫の健康、長寿へとつながります。太らせない、新鮮な水を与えるなど当たり前のことを確実に行いましょう。

「看《み》取《と》りケア」をはじめる時期

動物病院で診察を受け、余命が短いことが分かったら、「看《み》取《と》りケア」をはじめます。

命に関わる病気が見つかったらケアをはじめる

看《み》取《と》りケアとは、終末期を迎えた猫がより快適に過ごせるように行うお世話のこと。緩和ケアはその中の一手法です。治療法や看《み》取《と》りケアの情報は、高齢猫になった頃から積極的に集めましょう。命に関わる病気になったら、まずは完治を目標に治療を行います。加えて、万が一の事態に備えて、看《み》取《と》りケアをはじめる心がまえをしておきます。最期《さいご》が迫っている状態になったら、看《み》取《と》りケアへの切り替え時期です。

判断は「その子本意」に

形式的な情報ではなく、猫自身の状態を考慮したほうが、よりよい治療法やケア方法が見いだせる傾向にあります。

YES
NO
18歳だけど
元気！
12歳だけど
体調不良……

1 猫の年齢よりも状態から判断する

看取《みと》りケアをはじめる時期は、年齢よりも病気や状態から判断します。治療やケアの情報収集は、元気な頃からはじめることが大切です。

2 看取《みと》りケアは緩和を重視して世話をする

重い病気が進行して厳しい状態になったら、痛みやつらさを取り除く緩和ケアを。猫が落ち着く環境を整え、自宅で世話をしましょう。

痛いのイヤ
だからなっ

緩和ケアと環境づくりを中心に

猫に苦痛を感じさせない緩和ケアと合わせて、一番リラックスできる環境づくりを行い、猫が心身ともに落ち着けるようにします。

I WANT YOUR
HELP.

3 高齢猫にはサインがある

年を重ねると心身が衰えていきます。病気にかかるリスクが高まるので、病気のサインを見逃さないこと（P60～P91）。小さな変化に気づけるように日頃から注意しましょう。

猫が求めているもの

猫の変化は、「助けて！」のサインかもしれません。そして、猫は飼い主の助けを求めています。敏感に変化を察知しましょう。

COLUMN

1

猫がとろける秘密のツボ

猫とコミュニケーションをはかるために、スキンシップを習慣にしましょう。猫は、自分で毛《け》繕《づくろ》いができないところを触られると、特に気持ちよく感じるようです。例えば、あごの下や耳の前は、指でゴシゴシとこするように触ってあげます。額は毛の流れにそって優しくなで、腰はトントンと軽く叩きます。気持ちよいところは個体差があるので、愛猫のツボを探りましょう。

スキンシップは健康にも大きなメリットがあります。ひとつは血流をよくするマッサージ効果です。体をなでたり優しくつまんだりすると血行が促進し、体のすみずみまで酸素や栄養が行きわたります。健康を保つための習慣としてもおすすめです。もうひとつは、病気の早期発見の役割です。体を丁寧に触ることで、しこりなどの異変を見つけられる確率が高まります。

接触を嫌がるタイプの猫に、スキンシップの無理強いは禁物ですが、自宅での健康チェックや手厚い「看《み》取《と》りケア」のためには、スキンシップが欠かせません。猫が元気な頃から触られることに慣れさせておくことが理想です。

第2章

自宅で行う看《み》取《と》りケア

看取《みと》りケアで特に重視したい日常のお世話は、「食事」「睡眠」「排泄《はいせつ》」です。猫の状態に合わせて環境を整えましょう。

自宅での「看取《みと》りケア」とは

猫の毎日の変化に敏感になる

治療が困難になったら、動物病院に相談して看取《みと》りケアの準備を。

猫が快適に過ごせるように寝床《ねどこ》やトイレを整え、食べやすい食事を与えます。嘔吐《おうと》や粗相《そそう》をすることもあるので、居場所を清潔に保つ工夫も必要です。家族全員で猫を見守り、小さな変化にも注意します。動物病院に投薬や受診のタイミングを確認しておけば、急な異変が起きても冷静に対処できます。獣医師の往診が可能な動物病院もあるので、事前に相談しておくと安心です。

1 食事のアイデア

様子を見ながら、フードの与え方を工夫します。フードはやわらかくしたり温めたり（P38）。療法食に切り替えるときは、いつものフードに混ぜる、いつものフードと療法食それぞれの皿を用意する、などして徐々に慣らしていきます。

状態にあったごはんを

歯が弱っているならウェットタイプ、飲み込む力が落ちているならペーストなど猫の状況に合わせます。

2 飲水のアイデア

常に新鮮な水を与えましょう。1日に1回以上は新しい水と交換してください。水の摂取量が減るのを防ぐため、猫の好みに合わせてかつおぶしの匂いをつけるなどの方法もあります（P95）。

水飲みはあちこちに

水を入れ替えるときは必ず容器も洗って清潔に。脱水を防ぐためにも、思い立ったらすぐに飲めるよう水飲み場は複数つくります。

高齢猫と睡眠

看取《みと》りの時期の猫は、1日の大半を寝て過ごします。

3 居心地よい寝床《ねどこ》 失敗しないトイレ

寝床には嘔吐《おうと》や粗相《そそう》をしたときのために、ペットシーツを敷きます（P46）。トイレは高齢猫仕様に見直します（P40）。

トイレは高齢猫ファーストに

体力や筋力が落ちた猫でもスムーズに排泄できるよう、トイレ環境を見直す、トイレ介助をするなど、飼い主にもやれることがあります。トイレにこだわらずペットシーツやおむつの力を借りても（P47）。

毛がパサつく、口臭や目やにが増える、ほとんど動かない。こんな老化のサインを見逃さないで。

高齢猫の体の変化を知る

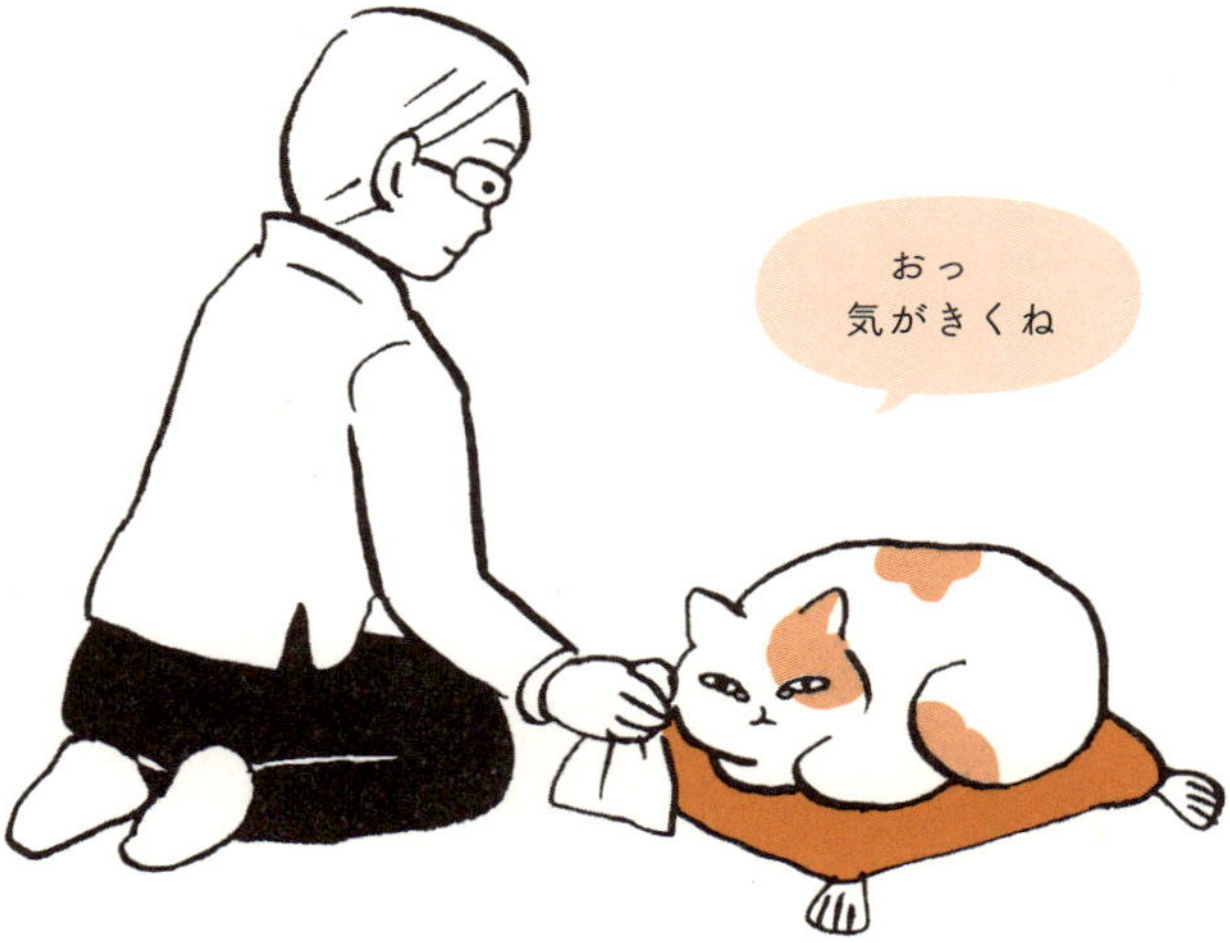

猫にあらわれる老化現象

猫が高齢になると、体や行動にさまざまな変化が起こります。ジャンプしなくなる、毛繕《づくろ》いをしない、好きだった遊びをしない、寝てばかりというのは、体の機能がだんだん弱まってきた兆候です。人間で見られる、加齢につれ筋肉量が減少する「サルコペニア」や高齢により筋力・活力が衰える「フレイル」の状態は、高齢猫でも見られます。病気などの異常ではなく自然な老化によるものなら、食事や生活環境を見直して生活の質を維持します。

1

原因は老化か病か

動きが鈍くなったり、体重が減ったり、飼い主の動きに無関心になったりしていませんか。こんな症状があったらまず受診を。病気なら早期発見・治療することで機能が回復できるかもしれません。老化が原因なら、生活をケアすることで健康寿命を延ばすことにつながります。

無関心モード
Z…

老化を見逃さない

動くものへの関心が減る、食事とトイレのとき以外は寝ているなどは老化現象のひとつ。

あと
一段か！

運動で改善できる

飽きのこないおもちゃやパズルなどで遊ばせたり、低めのキャットタワーで上下運動をさせたり、体を動かす機会をつくりましょう（P48）。

栄養面でサポート

栄養不足にならないように、タンパク質を含む高カロリーのフードを少しずつ何回かに分けて与えます。抗酸化物質やオメガ３脂肪酸を豊富に含んだシニア用のキャットフードや消化のよいものを与えても。

2

サルコペニアの症状とケア

キャットタワーにとび乗らない、高いところから下りられない、おもちゃで遊ばないのは、加齢で筋肉量が減ったサルコペニアの状態かも。栄養管理と運動で、フレイル状態に移行するのを防ぎましょう。

3

フレイルの症状とケア

筋力低下や体重減少のほか、気力の低下が見られます。食欲がない、毛繕《づくろ》いをしない、じゃれなくなった、動くものへの興味が減ったなどもフレイルの症状です。

食べ放題♪

予防し、進行を防ぐ

体力や筋力が落ちた猫でも困らないよう、バリアフリーな環境づくり（P32）が不可欠。食欲が不振ならフードに工夫を加えたり、与え方を変えたりしてみてください。

高齢猫のための部屋づくり

行動範囲がせまくなってくる高齢猫。活動の機会を増やすために、室内の複数の場所にフード・水飲みボウル、トイレ、爪とぎ、休憩場所を設置します。

毎日の体調チェックは怠《おこた》らずに

高齢猫は、病気の早期発見のために動物病院で健康診断を年2回受け、自宅でもチェックしましょう

不調のサインを見逃すな

不調に気づくためには、細かい変化に目を光らせます。特に不調は体温にあらわれやすく、心臓や血液の循環が急激に悪化している、脱水がひどい、感染症を起こしているような場合は体温が下がります。耳の中は、唯一毛が生えていない部分なので、毎日触ることで体温の変化が分かります。猫の耳にあてるだけで体温が測定できる体温計*は、猫にストレスを与えることもなく、おすすめです。また、フード・水分の摂取量や排泄回数など、日常の細かい点も観察しましょう。

＊猫の平熱は37.5度〜39度です。市販されているペット用の体温計のうち、肛門に入れて体温を測るものは、獣医師の説明を受けてから使いましょう。

不調を
見逃さない

毎日の体調チェックシート

ひとつでも当てはまる症状があれば、病院に行きましょう

- □ 耳の中が普段より冷たい
- □ しっぽがいつも垂れている
- □ 高いところに登れなくなった
- □ ヨロヨロと歩くようになった
- □ 鳴き声が大きくなった → P33
- □ 1日20時間以上寝ている → P46
- □ 目（瞳孔）が常にまんまるとしている → P65
- □ 1日食欲がない → P84
- □ 水を飲まない、または頻繁に飲む → P86
- □ 1日おしっこが出ない → P88
- □ 3日以上うんちが出ない → P90
- □ 体重がここ1ヶ月で5%減った → P97

バリアフリーで快適な居住環境づくり

事故防止のためにも、体力が落ちてくる高齢猫が過ごしやすい環境づくりを心がけましょう。

今の環境を維持しつつ バリアを取り除く

猫は最期《さいご》まで、自力で動こうとする動物です。しかし、筋力が低下している高齢猫は、高い場所から落下する危険があります。終末期に入ったら床での生活に切り替えて、室内に段差をなくすなど環境を整えてあげましょう。

模様替えや引っ越しなど、大きな環境の変化は猫にとってストレスになります。可能なかぎり、それまでの環境維持を心がけつつ、猫が過ごしやすいように配慮することが大切です。

猫専用のスペース

のんびりできる居場所をつくります。トイレの近くにベッドを置けば、粗《そ》相《そう》も防げます。

室内温度を管理する

終末期の猫は体温調節が難しいので、窓際と部屋の中央などで室温に差がないように気をつけます。外気との温度差がありすぎるのもよくないので要注意（P36）。

段差やキャットタワーをなくす

落下すると危険なので、キャットタワーは取り除きます。床で生活させることを心がけ、部屋の中にできるだけ段差を少なくしておきます。

トイレもバリアフリー化

歩くのがおぼつかなくなってきたら、トイレを行きやすい場所に移動します。トイレのへりをうまくまたげない場合は、スロープなどを置いてあげます（P40）。

歩きやすい床材

フローリングの床は避け、爪が引っかからないよう毛足の短いカーペットやゴム製マットを敷いてあげます。ゴム製マットは、誤食に注意しましょう（P35）。

五感の衰えに配慮する

高齢猫になると、視力や聴力など五感も衰えます。視力の低下（P64）は視線が合わないことから、聴力の衰えは猫の鳴き声が大きくなることから推測できます。各機能の低下により状況を把握しにくくなるので、模様替えは極力控えましょう。また、夜間は真っ暗にせず、常夜灯をつけておくのもよいでしょう。

階段は登らせない

看《み》取《と》りの時期になると、筋力が低下します。転落など思わぬ事故を防ぐために、階段の前にフェンスを置くなど、猫が階段に登らないようにしましょう。

来客や新しい猫はNG

できるだけストレスを与えないためにも、来客や新しい猫を迎えるなど、猫の刺激になるようなものは避けるか、視界に入らないようにします。

猫が口にすると危険なものを置かない

特にユリ科や球根の植物は、中毒を起こして死に至ることも。猫と暮らす室内には置かないで。

しまえるものはしまう

室内には私たちが普段口にしている食品のほか、人間用の医薬品や植物など、猫にとっては有害なものがたくさんあります。猫が誤って食べると吐き気やけいれん、重度の臓器障害などを起こすことも。このような誤飲や誤食は、猫の入院や手術の代表的な原因のひとつです。完全室内飼育がスタンダードになっているからこそ猫に有害なものを知り、それらを床やテーブルの上、キッチンなど猫の手の届く範囲に置いていないかを点検をしましょう。

1 危ない食品はしまって

誤食すると、貧血や血尿、嘔吐や下痢、けいれんなどの中毒症状をまねきます。

チョコレート類	カカオの含有比率が高いダークチョコレートは最も危険
カフェイン入り飲料	コーヒー、紅茶、玉露茶など
アルコール	ウィスキー、焼酎、日本酒、ワインなど
バラ科のフルーツ	アンズ、ビワ、ウメ、モモ、プラム、サクランボなど

食の探究っ
CHOCO
コーヒー

野菜や海産物もNG

長ネギやニラ、ニンニクなどのネギ類や生のイカ、タコ、エビなども猫にとってはNGな食べ物。

2 有害な植物は置かない

植物によっては、猫が葉や茎、花をかじるだけでなく、体についた花粉をなめたり花瓶の水を飲んだりしただけでも危険。

敵？

危ない植物

右の表に挙げた植物のほか、アイビー、アジサイ、アサガオ、アヤメ、シクラメンなどにも要注意。

ユリ科の植物	ユリ、チューリップやヒヤシンス、スズランなど
サトイモ科の植物	スパティフィラム、フィロデンドロン、ディフェンバキア、モンステラ、ポトスなど
ナス科の植物	ホオズキ、ジャガイモ、ブルンフェルシア、トマトなど
ツツジ科の植物	レンゲツツジ、サツキ、シャクナゲ、アザレアなど

3 誤飲しやすいものをチェック

家の中には誤飲しやすいものがいっぱい。じゃれて遊んでいるうちに飲み込んでしまうことがあります。

これも
イケる

しまっておけばOK

ふたやロックができる容器にしまうのがベスト。

ボタン電池、コイン型電池	胃壁を溶かしてしまうので大変危険。直ちに病院へ
ジョイントマット	猫が飲み込むと食道や腸にすっぽりはまり込んで閉塞を起こす
毛糸、リボン、ヘアゴム、マスクのヒモなど	消化管に引っかかったり埋まったりすることが。ヒモの先が口の中や肛門に出ていても引っ張らずに病院へ

部屋の冷やしすぎや暖めすぎに気をつけ、乾燥しがちな季節には、湿度管理にも気を配ります。

季節ごとに異なる環境管理

とっても寒がりで、ちょっと暑がり

「夏」と「冬」に注意をする

夏と冬はエアコンや暖房器具を上手に使い、室内の温度管理に気を配ります。年齢を重ねるにつれ、また看取《みと》りの時期が近づくにつれ、猫は自分での体温調節が難しくなります。夏は冷やしすぎないよう28度位に、冬は22～24度位の室温が理想的です。外との温度差がありすぎるのもよくないので注意します。

また、冬は乾燥しがちです。加湿器を置くなどして、湿度を50％位に保つよう心がけます。

1 猫が熱中症にかかったら……

熱中症の疑いがあったら、まずはかかりつけの動物病院に電話して指示を受けます。動物病院へ連れて行くときには、水で濡らしたタオルで体をくるみます。

実はほとんど熱中症にかからない

猫は、暑さに強い動物。夏場の冷房を切った車内や閉め切った部屋を避ければ、高齢猫であることを考慮しても熱中症にはかかりにくいです。一方、寒さには弱いので冷房の効きすぎなどに注意しましょう。

2 猫が暖房器具でヤケドしたら……

高齢猫は動かずに寝ていることが多いので、暖房器具などでヤケドを起こす場合もあります。ヤケドすると、毛が抜けて皮膚が赤くただれます。その場合は患部を濡れたタオルなどで冷やしながら動物病院に連れて行きましょう。

患部の冷やし方

猫がヤケドをした場合、まずは水道水位の温度の水で冷やしましょう。水圧を低くしたシャワーの水を5～10分位患部にかけます。

3 実は気をつけたいコタツの注意点

電源が入ったままのコタツの中にいると、猫でも熱中症を起こす可能性があります。猫がコタツに入ったら、電源を切ったほうが安全です。

電源オフが望ましい

コタツの電源を「ON」にしているときは、猫から目を離さないようにして、事故を防ぎます。

後期高齢になると吸収率や消化率の衰えから、かえってエネルギーが必要になります。

高齢猫も栄養は食事から

ごはんの状態、与え方は猫に合わせて工夫する

食事は猫の様子をよく見ながら、食べやすい状態や与え方にします。体調が悪いと、食欲は落ちてしまいがちです。固形物が食べられるうちはドライのキャットフードでもかまいませんが、猫の状態に合わせてやわらかいものにするなど工夫をします。フードを人肌に温めるのも、猫の嗜好《しこう》*性を高めます。

食べ物から栄養を摂《と》ることが理想ですが、どうしても食べられなくなってきたら、獣医師に相談してみましょう。

＊嗜好（しこう）性を高めるには、匂いや大きさ、食感、味など、食事に工夫を施します

1 ごはんは猫が食べやすい状態に

ドライフードを水でふやかす、ウェットなどやわらかいものにする、温める以外にも、かつおぶしなどで風味をつける方法もあります。フードのほかに、ゆで卵やゆでたササミなどは食べても害がないので、好物であれば与えてもOK。食事と一緒に水分も十分に与えましょう。

猫の好みは「十猫十色」

猫はその子によって好みが違い、同じ猫でも年齢によって好みが変わる場合があります。

飲み込みづらいときは……

ドライフードを小粒にしたり、高さ10cmほどの台に食器を置いたりする方法もあります。

食べて
ほしいの？

2 与えるときは、猫が最も食べてくれる方法を

お皿から食べなくなったら、スプーンや手から直接食べさせてみましょう。流動食のような状態であれば、スポイトやシリンジなどを使って口の中に入れてあげます。

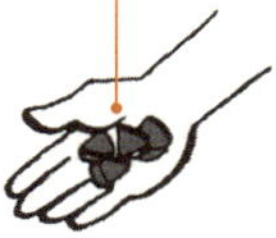

あごの力は健在

猫は年を重ねてもあごの力があまり衰えません。手からごはんを与えるときは、噛まれないように気をつけます。

流動食の与え方

流動食を与えるときは1日2〜3回に分けます。1回の量は、体重1kgあたり10ml以下が目安です。看《み》取《と》り期が近づいているようなら、体重1kgあたり5ml位からはじめましょう。急に流し込むと、流動食が気管に入る恐れがあるので、ゆっくりと流し込みます。

3 水分もとっても大切

飲水量が少ないと尿道結石（尿路結石）（P88）を引き起こすことも。食事と同じ位、きちんと管理しましょう。工夫しても水を飲んでくれないときは、点滴で水分を与えます。点滴は皮下点滴と静脈点滴の2つの方法があり、皮下点滴は自宅で行えます。

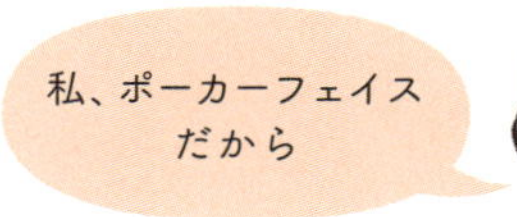
私、ポーカーフェイス
だから

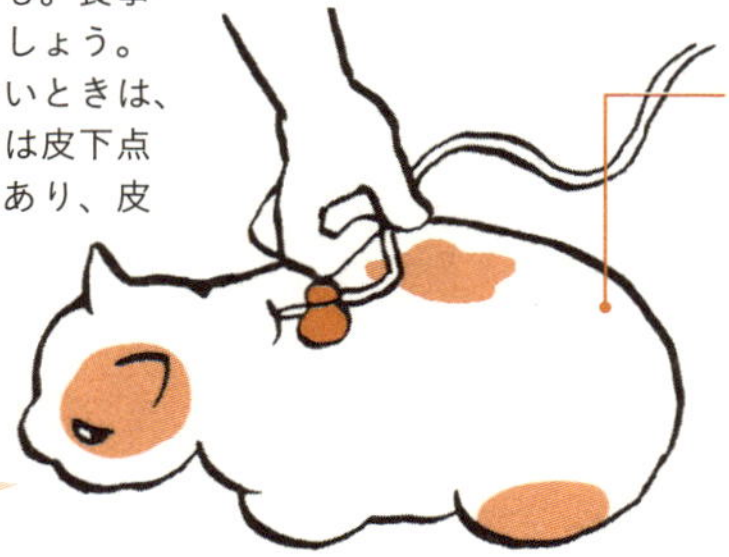

皮下点滴と静脈点滴の違い

皮下点滴は皮膚の下に水分を送り全身に行きわたらせます。一方、静脈点滴は血管内に水分を送るので皮下点滴より効率的に水分を巡らせることができます。皮下点滴は自宅で行えますが、必ず獣医師の指導が必要です。静脈点滴は動物病院で行います。

猫はきれい好きなので、トイレはいつも清潔に。高齢猫には少し大きめで出入りがしやすいトレーが最適。

高齢猫のためのトイレとは

トイレの不満をなくす

終末期の猫によくあるのが尿失禁《にょうしっきん》やトイレの失敗です。腎臓病《じんぞうびょう》や膀胱炎《ぼうこうえん》などの泌尿器疾患《ひにょうきしっかん》がなくても、高齢猫は筋肉が衰えています。トイレのへりをうまくまたげているか、トイレはせまくないか、トイレの掃除は行き届いているか、人の出入りが多いところにトイレを置いていないかなど、トイレ環境の見直しをしましょう。

最近では、猫がトイレに入るたびに尿量や排尿頻度、体重などを自動計測して、スマホからチェックができる高機能トイレもあります。

気にいったかも

1
出入りしやすいトイレ

筋力の低下でトイレをまたぐのがつらいことも。入り口が低くなっているトイレを用意したり、トイレ前にスロープや踏み台を置いたり、楽にまたげる工夫をします。

トイレはいつも清潔に

猫が排泄をしたらすぐに片付けます。そのとき尿や便のチェックも欠かさずに。

2
砂は粒を小さく

高齢猫にはふんばりが効きやすく、砂かきがしやすい砂粒が細かいものを選びましょう。触り心地や匂いなどは猫の好みがあるので、いくつか種類を試してみます。

今は
見ちゃダメ

トイレで毎日の体調チェック

体重、尿量、尿回数、トイレ入室回数、滞在時間など、猫の健康をスマホで管理できる高機能トイレが、いくつか製品化されています。猫の小さな変化に気づけます。

自力を尊重する

トイレまで歩けなくても、自力で排泄《はいせつ》できる場合があります。猫が「できること」はできるかぎり、自力で行わせます。

そこまでで
よいゾ

3
飼い主の手助け

体調や病気によっては、トイレに間に合わず粗相《そそう》をすることも。歩ける状態であればトイレを猫の居場所近くへ移動。飼い主がトイレに連れて行ってもよいでしょう(P42)。

排《はい》泄《せつ》を手助けする

トイレ位置の工夫や移動の手助けなどをして、トイレで排《はい》泄《せつ》させせます。おしりが汚れたらふいてあげましょう。

猫は自力で、トイレで排《はい》泄《せつ》したい動物

トイレに行くのが大変そうなら、寝床《ねどこ》の近くにトイレを置いたり、トイレの数を増やしたりします。抱っこしてトイレに連れて行ってあげてもよいでしょう。それでも寝ながら排泄《はいせつ》するなど、粗相《そそう》が多い場合には、*猫用オムツを着用することも考えられます。ただし、オムツを嫌がる猫も多いので、オムツは最終的にどうしても動けなくなったときの手段にしたいもの。それまでは、トイレで排泄《はいせつ》できるよう飼い主が介助してあげましょう。

＊猫用のオムツはペットショップなどで購入できます。また、人間の赤ちゃん用のオムツにしっぽの穴をあけて代用することもできます。

時は満ちた、
さぁトイレ！

1
介助して排泄《はいせつ》させる

足腰の筋力の衰えから、排泄《はいせつ》時にトイレでヨロヨロするようなら、猫の腰をそっと支えます。また立ち上がるのが難しくなったらオムツをし、自力で排泄《はいせつ》できなくなったら獣医師の指導を受けて、圧迫排泄《はいせつ》（腸や膀《ぼう》胱《こう》、肛門をマッサージ、圧迫して排《はい》泄《せつ》をうながすこと）を行います。

トイレのタイミングを知る

自力でトイレに行けない猫のためには、飼い主がトイレのタイミングを覚え、定期的にトイレへ連れて行きます。ベッドをトイレに近づけてもＯＫ。

便秘は
つらいよ

2
「の」の字マッサージで排泄《はいせつ》をうながす

腸は「の」の字のような形をしています。排便をうながすために、「の」の字を描くように、指の腹でおなかをマッサージします。「の」の字が難しいなら、上から下へとマッサージします。

ヨーグルトも有効

マッサージが苦手な子には、ヨーグルトを与えます。小さじ1杯のヨーグルトで便がやわらかくなり、排便が促進されることも。また、便秘用のサプリメントを利用するのもよいでしょう。

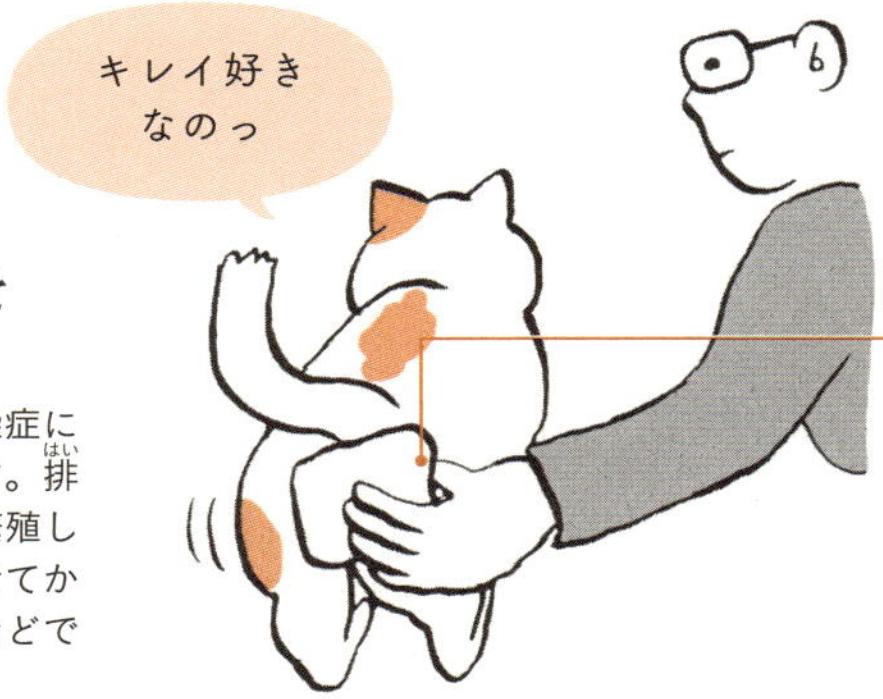
キレイ好き
なのっ

3
汚れたところをキレイに

体力が落ちると、感染症にかかりやすくなります。排《はい》泄《せつ》後は、細菌などが繁殖しないよう、水で湿らせてかたくしぼったガーゼなどでふきましょう。

おしりケアの注意点

しっぽを持ち上げておしりをふくとき、しっぽを持ち上げすぎるのはＮＧです。頭にむかって90度以上反らせると、骨と神経に負担がかかります。

体のタオルウォッシュに加え、耳や顔（目、鼻、口元）、お尻などの部分ケア、爪切りを行います。

体はお手入れで清潔に

高齢猫に合ったケアを身につけよう

体力や免疫《めんえき》力が低下している猫を感染症（P98・100）などから守るためには、こまめなお手入れで、体を清潔に保つことが重要です。

猫は体力が落ちると＊毛繕《けづくろ》いや爪とぎをしなくなります。抜け毛が多いと、毛玉が腸につまり、腸閉塞を起こして手術が必要になることもあります。爪がのびると、床などに引っかかりケガにつながります。嫌がる猫に無理矢理お手入れをすると、ストレスになるので、注意して行いましょう。

＊毛繕（けづくろ）いをしなくなると、お尻と腰周りが特に汚れやすくなります。
お尻と腰周りは、特に分泌腺が多いのでこまめにふいてあげましょう。
また、よだれやフードで汚れやすい口周りもよくふいてあげましょう。

年をとっても
キレイでいたいの

1
シャンプーは不要、タオルウォッシュでOK

体を濡れタオルでふくタオルウォッシュ。冬場はお湯で濡らしたタオルを使います。タオルウォッシュの前にはブラッシングをしましょう。

ブラッシングはマメに

タオルウォッシュの前でなくても、短毛種の猫には週2回、長毛種の猫には毎日ブラッシングをします。ブラッシングをすれば毛玉もできにくく、毛玉の飲み込みを防げます。短毛種はラバーブラシ、長毛種はスリッカーブラシを使います。

タオルウォッシュの注意点

タオルを濡らしたらかたくしぼり、毛並みにそってふいていきます。毛が湿って体が冷えやすくなるので室温を1～2度上げてから行いましょう。

2
目と耳のお手入れで病気を防ぐ

高齢猫は、目やにがつきやすくなります。こまめに目の周りを乾いたガーゼでふいてあげましょう。耳の中の汚れは、乾いたコットンで取り除きます。それぞれ、頻度は週1回が理想です。

プロの仕事を
頼むよ

無理は禁物！

目や耳はデリケートな部分です。自宅でのお手入れを難しいと感じたら、獣医師に対処してもらいましょう。

のびた爪では、
ノビができない

3
爪切りでケガを防ぐ

爪がのびていたら爪切りで切ります。のびたままだと、カーペットなどに引っかかって危険です。難しい場合は動物病院で切ってもらいます。

高齢猫の爪は太い

年齢を重ねると、爪が太くなります。その分、のびた爪だと切るときに加わる力が大きくなります。まめに爪切りをして、切るときの衝撃を少なくしてあげましょう。

おやすみタイムを至福のときに

寝ている時間が増えてくるので、安心して熟睡できる状態をつくりましょう。ストレスは大敵です。

終末期の猫は1日20時間以上も眠ることも

体力が落ちてくると、食事やトイレ以外のほとんどの時間を、寝て過ごします。特に看取《みと》りの時期は、寝ている時間をより快適なものにしてあげることが大切です。

まずは、ベッドを居心地よくしてみましょう。猫自身の匂いがついている毛布はもちろん、大好きな飼い主の匂いがついたフリース素材の古着などを敷いてもよいでしょう。また、寝ている猫の様子を時々チェックすることも忘れずに。

ブランケットに
まっしぐら

1

猫が一番落ち着ける状態をつくる

ベッドの置き場所も、飼い主のそばが落ち着く、窓から外を見るのが好き、など猫の好みに合わせます。安心してくつろげる場所を選びましょう。

温度変化を意識する

猫が好きな環境でも、昼と夜で大きな温度差があるなど、体調に影響を与えそうな場所は避けます。

2

寝たきりの猫にしてあげられること

トイレで排泄《はいせつ》できなくなっていたら、ベッドにペットシーツを敷いておきます。嘔吐《おうと》したときに逆流しないよう、枕は置かないほうが安全です。

トイレ行くの
しんどい…

清潔を常とする

寝たきりの猫の場合、特に衛生面に気を配ります。免疫《めんえき》力が低下しがちなので、ベッド周りも清潔にして感染症を防ぎます。

3

同じ体勢で長時間は床《とこ》ずれ注意報

猫は体重が軽く、体の重みで起こる床《とこ》ずれが生じにくいといわれています。しかし、やせている猫でも、いつも同じ体勢だと床《とこ》ずれします。クッションやタオルなどをはさんで体勢を変えてあげましょう。

スマートだからさぁ

床《とこ》ずれ防止マットを使用する

床《とこ》ずれが心配なら獣医師に相談します。体に圧力を与えづらい床《とこ》ずれ防止マットも市販されています。

運動とマッサージで機能維持

足腰が弱るのを少しでも遅らせるために、筋力に刺激を与える運動やマッサージを行います。

筋力維持をコミュニケーションの時間に

筋力の衰えを防ぎ、体の機能を維持させるために、運動やマッサージを行います。

看取《みと》りの時期になると、猫の足腰も弱ってきます。体を動かさないままでいると、関節や筋肉がかたまりやすくなります。少しでも運動させ、マッサージで筋力を刺激します。屈伸《くっしん》運動やマッサージをしながら声をかければ、スキンシップの時間にもなります。もちろん、嫌がっていたら無理をさせないことが大切です。

1
運動は上下よりも左右の動きを重視する

高いところへの上り下りが難しくなります。転落事故防止のためにも、上下の運動は避けます。動けるうちは床で歩かせるなど、少しでも体を動かす機会をつくりましょう。

上へ……
いたしません

床周りで遊ぶ
おやつで誘導したり、猫じゃらしであやしたりなど、床の上でできる遊びを取り入れます。

くすぐったい
のだ

運動不足の手助け
力を入れすぎると、猫を傷つけてしまうので注意します。寝たきりの猫でも、痛がらないようなら、足をマッサージしてみましょう。

2
マッサージで筋力を刺激する

ゆっくりひざを曲げたり、のばしたりの屈伸《くっしん》運動や、体を優しくさするマッサージをします。嫌がるようなら、最初は猫が気持ちよさそうにするところを適度な強さで刺激して、のんびりと行いましょう。

3
外に行きたがる猫にできること

帰って来られなかったり、交通事故にあったりする可能性もあるので、どうしても外に行きたがる場合は、庭に出す程度にします。猫を外に出している間は、ずっとそばにいましょう。

必殺、
猫パンチ！

ずっとそばにいて！
自宅の庭など、必ず目が届いて、猫が逃げ出さない環境で遊ばせます。時間は日中の暖かいときがよいでしょう。

痛みを読み取り、対処する

猫は、痛みがあっても訴えることができません。よく観察して、気づいてあげましょう。

緩和ケアは積極的に取り入れて

痛みをともなう病気には、獣医師と相談しながら、鎮痛《ちんつう》剤などを使った緩和ケアが有効です。*かつては手術後の痛みも含め、痛みを軽減するために痛みどめを使うという文化がなかったのですが（P52）、現在は、積極的に使用します。

猫は痛みを言葉で訴えることができません。左ページの表を参考に、猫の気持ちを読み取りましょう。ただし、痛みが強すぎて、反応すらできなくなる場合もあります。

＊むしろ手術後は痛いほうが動かなくてよい、とすら考えられていました。

より確実な投薬を

「粉薬は飲まない」など、飼い主が知っている薬についての傾向は、獣医師に伝えます。

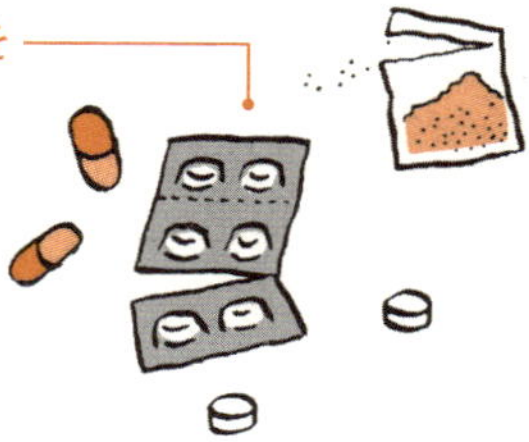

今は「マルチモーダル」で緩和ケアを

マルチモーダルとは、1種類だけではなく、何種類かの鎮痛《ちんつう》剤を組み合わせることです。症例によって違いがあるので、獣医師と相談して、ケアに取り入れましょう。

猫の痛み読み取り表

猫の体勢や状態から痛みを読み取る表です。上に行くほど痛みの度合いが高くなります。

痛みのレベル	猫の状態	心理状態と行動	触診への反応	体の緊張レベル
5		□横たわっている □周囲に反応しない □ケアを受け入れる	□反応しない □強《こわ》ばっている	中度 〜重度
4		□物悲しそうに長く鳴く □傷口を噛んだり、なめたりする □動こうとしない	□うなったり、「シャー」といったりする	中度
3		□丸まって寝ている □毛づやがない □痛みや違和感がある部分を集中して毛繕《けづくろ》いする □フードに興味を示さない	□攻撃的に反応したり、しなかったり	軽度 〜中度
2		□おとなしく引きこもりがち □周囲に興味を示さない	□反応したり、しなかったり	軽度
1 0		□快適そうに落ち着いている □周囲に興味がある	□体に触れても嫌がらない	最小限

猫は痛みを隠して弱みを見せない生き物。痛みを感じにくいのではなく、ただ我慢しているのです。

痛みをとめる

ペインコントロールがストレスを減らす

20年位前までは「猫は痛みを感じにくい」とされ、痛みについての研究はほとんどされていませんでした。

現在では痛みをコントロールすることは動物福祉の面からも、医療の面からも重要だと考えられています。痛みを抱えたままだと病気や術後の治りが悪いことが分かっています。鎮痛治療はこの10年で格段に進歩し、猫のために開発された注射や内服薬、貼るタイプの痛みどめなどがあります。

1
鎮痛剤を使う

効果や副作用について獣医師とよく相談した上で、痛みどめの注射や内服薬、症状に応じて貼るタイプ（パッチタイプ）の鎮痛剤を使います。

早く
やっちゃって

飲み薬が苦手な猫も

錠剤は口を開けて飲ませるので、暴れることも。味に嫌悪感があるとそれだけでストレスになるので、フードに混ぜて飲ませる方法もあります。

2
急性の痛みにも
慢性の痛みにも

ペインコントロールは急性の痛みだけでなく慢性の痛みにも行います。高齢猫だと関節に変化が起き、変形性関節症による慢性的な痛みが生じることも。NSAID（非ステロイド系消炎鎮痛薬）を使って痛みを和らげながら関節の機能を守って進行をおさえる、継続的なケアが必要です。

痛みをブロック！

貼るタイプは
低ストレス

貼るタイプの鎮痛剤は高い効果があり、何より注射や飲み薬と違って猫にストレスを与えません。

太るのは厳禁

加齢による変形性関節症は肥満によって悪化します。

まずは
一歩から

3
投薬とマッサージの
二段構えで

鎮痛剤の効果で痛みが軽くなるようなら、筋肉を維持するためのごく軽い運動をさせたりマッサージしてあげたりしましょう。関節の痛みがあるときは、太らないように体重管理をすることも大切です。

少しでも体を動かす

動くのをおっくうがるようなら、足をゆっくり曲げたりのばしたり、体をなでたりするだけでも筋肉に刺激を与えることができます。寝たきりの猫でも痛そうでなければ、体をさすってあげましょう。

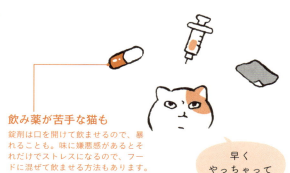

留守番前には念入りな準備を

どうしても留守番をさせる場合は、出かける前に環境を整え、帰宅後の猫の様子にも気を配ります。

帰宅後は、必ず猫の状態をチェックする

看《み》取《と》りの時期は、猫の体調がいつ急変するか分からないため、必要のない外出は避けましょう。

しかし、仕事や用事で、留守番させなければならないこともあります。猫を留守番させるときは、その前後でさまざまな注意が必要です。出かける前には、留守中の事故を防ぐための環境を整えておきましょう。帰宅後は、留守中に食事や水を摂《と》っていたのか、排《はい》泄《せつ》したのか、猫の体調異常はないかを必ずチェックします。

飲みます、
飲みますっ

1 お出かけ前のチェック① 水

留守番中に、猫がうっかり水の容器をひっくり返してしまうと水が飲めなくなったり、体が濡れたりします。安定性がある容器に水を入れ、複数箇所に置いておきましょう。

夏と冬で気をつけたいこと

水がなくなると、夏は脱水症状になりかねません。また、水で体が濡れた状態だと、特に冬は風邪をひきやすいので注意します。

PI
PI
間違えたら
猫パンチね

最終確認を忘れずに

出かける直前にもう一度、エアコンの「冷暖房」が間違っていないか確認するクセをつけましょう。

2 お出かけ前のチェック② 温度

外に出ないよう窓は閉め、冷房暖房で室内の温度を適温に設定します（P36）。冷暖房は出かける30分前に入れるようにしましょう。そうすることで冷暖房の入れ間違いを防げます。

3 特に気をつけたい危ないポイント

看取《みと》りの時期の猫は、筋力の低下から、家具やテレビの裏に入ると出て来られなくなることもあります。猫が入り込みやすい隙間はふさいでおきましょう。

猫の安全をつくる

猫によっては、せまい場所を好みます。目が届かないときでも猫の安全を守れる環境を整えます。

ひとり暮らしで高齢猫の世話をする

1
高齢猫が留守番できる最長時間

24時間以上は避けるようにします。留守番させる時間は、できるだけ短いのが理想的です。長時間の場合は、家族や友人に世話をお願いしましょう。

若いときは、フードと水が十分にあれば2日程度のお留守番が可能でしたが、高齢猫の場合は状態が急変する可能性もあるので、泊まりがけの外出を極力控えたほうが安心です。

2
キャットシッターにお願いする

営業年数が長く、経験が豊富なキャットシッターにお願いする方法もあります。直接会って、飼い主、猫、シッターの相性を確かめるようにしましょう

キャットシッターの料金は、1回あたり3,000円以内のところが多いようですが、業者によってはそうでない場合もあります。また、1回で対応する頭数やお世話の範囲、滞在時間などによっても料金が異なります。

3
お部屋カメラでいつでも猫を見守る

部屋にカメラを置いて、外出先からスマホでチェックする方法もあります。猫の様子をいつでも見ることができます。

静止画像でも動画でも、状況が分かれば安心して外出できます。定点（固定）タイプから視点を上下左右に遠隔操作ができるものまで、さまざまなタイプのものがあります。

介護施設という選択もある

1 老猫ホームという選択

仕事の勤務体制など、猫の世話ができない場合、最後まで飼う方法のひとつとして、日常の世話や介護をしてくれる「老猫ホーム」という選択肢があります。

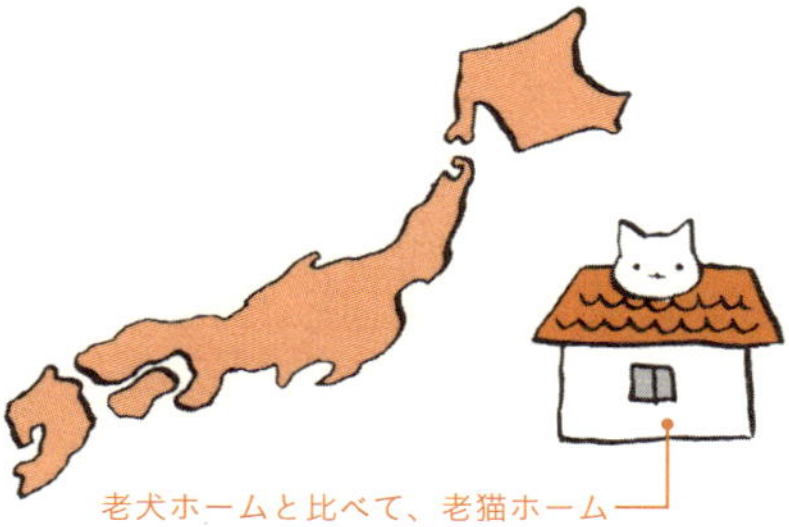

老犬ホームと比べて、老猫ホームの普及は低く、全国にあるわけではありません。料金の目安について、東京都内の相場は1ヶ月あたり50,000円～のようです。

2 老猫ホームを調べる

環境省が定める動物愛護管理法の「第一種動物取扱業《だいいっしゅどうぶつとりあつかいぎょう》」の基準を満たしていることはもちろん、体調が急変したときの対応や死亡後の対応などを、直接会って、慎重に確認し、判断しましょう。

人生いろいろ

老猫ホームのケアに何を求めているか、愛猫にどんな生活を送ってほしいかなど、猫の現状と将来を照らし合わせた選択をしましょう。

3 猫と入居できる人用介護施設

飼い主側が介護施設に入らなければならない場合、施設によっては猫も一緒に入居ができます。お互いに安心できる方法のひとつです。

一緒に
いられるね

猫と入居可能な人用介護施設は、現状（2022年5月）で132ヶ所。まだ全国に普及しておらず、関東に集中しています。

COLUMN

2

猫とタバコと病気

猫に多い病気に、リンパ腫《しゅ》という悪性腫瘍《しゅよう》があります。この病気の発症リスクを高める要因のひとつとして、飼い主の喫煙があるといわれています。

飼い主が喫煙者である家庭の猫は、非喫煙者である家庭の猫と比べて、なんとリンパ腫《しゅ》になる確率が2.4倍も高いそうです。これは2002年に『American Journal of EPIDEMIOLOGY』というアメリカの学術誌に発表された論文での調査結果です。論文の中には「5年以上喫煙している」「タバコを吸う量が1日1箱以上」「家族内に2人以上、喫煙者がいる」などの場合、さらに発症確率が高くなるという調査結果もありました。

人間も、喫煙者の副流煙《ふくりゅうえん》が、非喫煙者に影響を与えると問題になっています。猫の場合も、当然、近くでタバコを吸う人がいれば、副流煙を吸いこんでしまいます。また、猫は毛繕《けづくろ》いをするときに、体についたタバコの煙の粒子を一緒に飲み込んでしまうのも一因ではといわれています。

できれば禁煙するのが理想ですが、難しい場合は、せめて猫の近くで吸わないようにしましょう。

第3章

行動から病気を読み取る

受診のサイン①

冷たい場所に行く

高齢猫や病気を抱えている猫が冷たいところに居続けたり、よくいたりする場合は要注意。

冷たい場所に行くのは死の兆候？

猫は体調不良のときに冷たい場所へ行き、休むことがあります。この行動には2つの理由が考えられます。ひとつは、体調の異変で平熱が下がったこと。例えば、38度の平熱が36度に下がると、今までの室温を暑く感じます。もうひとつは、体調が悪くて隠れたところがたまたま冷たい場所だったという場合です。どちらの場合も体調が急変した可能性が高いので、猫を毛布などで包み、体を温めながら早急に動物病院に相談しましょう。

好きにさせてよ

1

家の中の冷たい場所を探せ

冷たいところは、人目につかないところも多いので、猫が隠れやすく冷たい場所を日頃から確認しておきましょう。

冷たい場所はこんなところ

室内の冷たい場所は、玄関、廊下、お風呂場、暖房から遠いフローリングの床、押し入れなど。いずれも猫が隠れやすい場所です。

2

暖めることがよいとはかぎらない

涼しさを求めて冷たいところに移動する場合もあるので、暖めることがよいとはかぎりません。理由に合わせて対処できるように、動物病院へ相談します。

そんな
単純じゃない

「ただ暑いだけ」はどんなとき？

健康な猫が、気温・室温が高い場所から移動したときは、「ただ暑いだけ」と考えてもよいでしょう。

何でココに
いるの～？

3

自己判断は避けて獣医師に相談を

持病があったり体調を崩したりしている猫が、急に冷たい場所へ行くようになったら、それが夏でも、獣医師に相談しましょう。体温が低下している可能性が高いです。

細かい状況を把握する

適切な診断を受けられるように、どんな場所に何分いるかなど、猫の情報を正確に伝えます。

受診のサイン②

元気がない

小さな異変から病気が分かることも。動作を観察して気がかりに感じる理由を探りましょう。

1日以上、元気がない状態が続いたら受診を

人間に気分の波があるように、猫にも波があります。しかし1日以上続く場合は、病気を疑ったほうがよいです。まずは動作を観察し、「元気がない」と感じた理由を探りましょう。歩き方や首の位置から推測できる病気もあるので、気づいたことはメモして、獣医師に伝えます。元気がない状態が看取《みと》りのサインとはかぎりませんが、腎臓病（P94）や甲状腺機能亢進症《こうじょうせんきのうこうしんしょう》（P96）、糖尿病（P102）など病気による異変の可能性があります。

1 「元気がない」状態にはいろいろな理由がある

「元気がない」という状態は、病気のサインの場合もあれば、「単にそう感じただけ」の場合もあります。まずはよく観察して、理由を探りましょう。

私だけを見つめてて

まずは観察を

猫の「気分の波」なのか、「体調不良」なのかを、ときには猫の性格とも照らし合わせて観察します。

2 かかとをついて歩いている

猫が、後足のかかとをついて歩いていたら糖尿病の恐れがあります。その場合、神経細胞が機能していない可能性があるのですぐ動物病院で受診しましょう。

「短足」ではありません
かかと

正確に伝わる

気になったことがあれば写真を撮っておくようにすると診断に役立ちます。

猫のかかと

後足のかかとは、骨が出っぱった部分です。

3 首が常に下がっている

健康なときは、頭部が背中のラインより上にあります。お辞儀をするように下がっている状態が続く場合は、腎臓病（P94）や甲状腺《こうじょうせん》機《き》能亢進症《のうこうしんしょう》（P96）からくる低カリウム血症を疑ったほうがよいでしょう。

お辞儀ポーズに注意

どの位の時間や頻度で頭を下げているか観察します。その情報は診断に役立つので獣医師に伝えます。

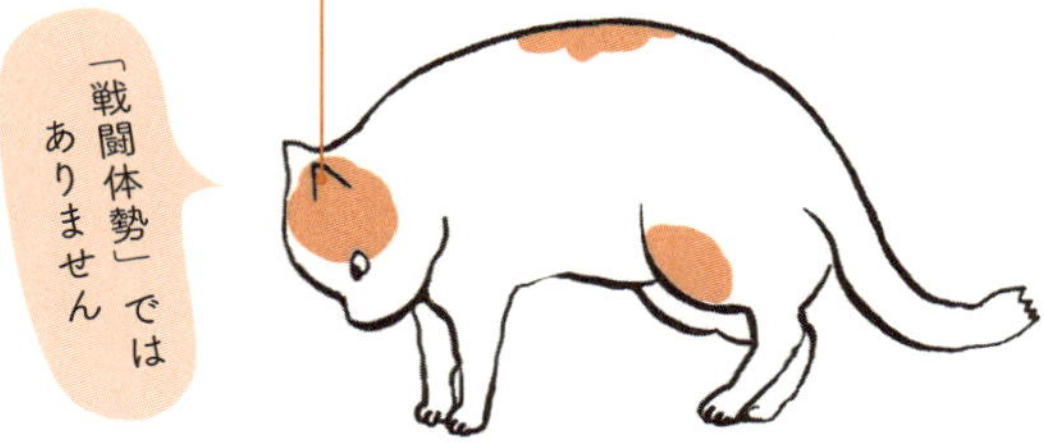
「戦闘体勢」ではありません

目の病気で命に関わるものは少ないですが、クオリティオブライフ維持のために治療を行いましょう。

受診のサイン③

視線が合わない

猫が失明しても飼い主は気づきにくい

高齢猫と視線が合わないと感じた場合は、すでに失明している可能性があります。猫は聴覚*が優れているので、足音や振動で状況をはかれます。特に「家猫」や「半外猫」は、住み慣れた室内であれば不自由なく移動できます。呼べば振りむくのでコミュニケーションにも問題がなく、飼い主は失明に気づきにくいのです。

失明の原因は高血圧や網膜出血《もうまくしゅっけつ》、緑内障《りょくないしょう》などです。充血や目やに、多量の涙が見られたら、獣医師に相談を。

＊猫は聴覚だけではなく、ひげでも距離感を測れます。このようにたとえ視力を失っても、ひげなど他の感覚器官で状況を把握します。

私の目を見て

1 目の異常①瞳孔の大きさに異変

瞳孔の大きさが左右で異なる、あるいは大きさが常に変わらない場合は、緑内障《りょくないしょう》や脳、神経の病気の可能性が高いので、動物病院へ行きましょう。

明るくても暗くてもNG

暗い場所だと、猫の瞳孔は自然と大きくなります。目の状態を把握するとき、暗すぎず明るすぎない場所で行います。

2 目の異常②眼球が動く「眼振《がんしん》」の症状

眼球が揺れる症状を眼振《がんしん》といい、脳や耳の病気の疑いがあります。揺れ方（縦、横、回転）によって病気が判断できることもあります。

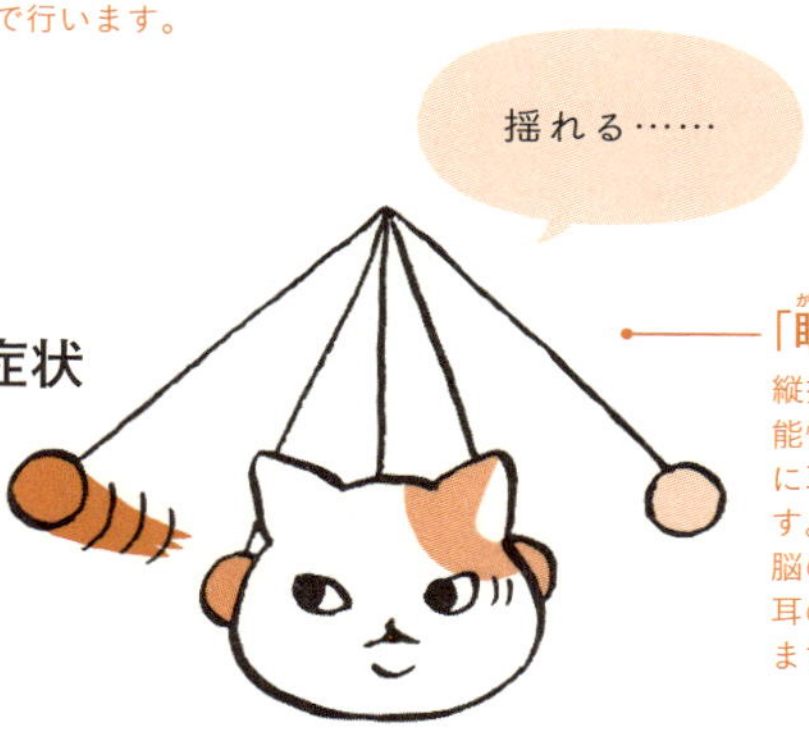
揺れる……

「眼振《がんしん》」のタイプ

縦揺れなら脳の病気の可能性が高く、横揺れは主に耳の病気が考えられます。眼球の回転は、主に脳の病気の症状ですが、耳の病気の可能性もあります。

3 視力が落ちてきたら

模様替えで家具などが新しい配置になると、視力の落ちた猫は状況が把握できず、物にぶつかってしまいます。猫がの視力が落ちたと感じたときは、模様替えは控えましょう。また、物が見えにくくなっているので、暗いところには常夜灯を置きましょう。

ひげ力に
頼るしかニャイ！

コットンで視力検査

コットンなど音がならない物を猫の前で落として、反応がなければ、失明している可能性が非常に高いです。住み慣れた環境で生活させましょう。

受診のサイン④

周囲に無関心

病気の具合がよくないため、無関心になっているのかもしれません。適切な治療と安心感を与える工夫を。

激痛や病気によって「元気がない」が進行

猫は警戒心が強いので、高齢猫になっても状況の変化に敏感です。周囲で起きていることに無関心なら「元気がない」(P62) から、さらに進んだ状態かもしれません。動物病院の診察台に寝転がり、獣医師が触っても反応がない場合は、無関心がかなり進行しています。病気の末期症状で具合が悪いのかもしれません。しかし脳の病気は、体が元気でも無関心である場合があります。その可能性も視野に入れて、獣医師に相談しましょう。

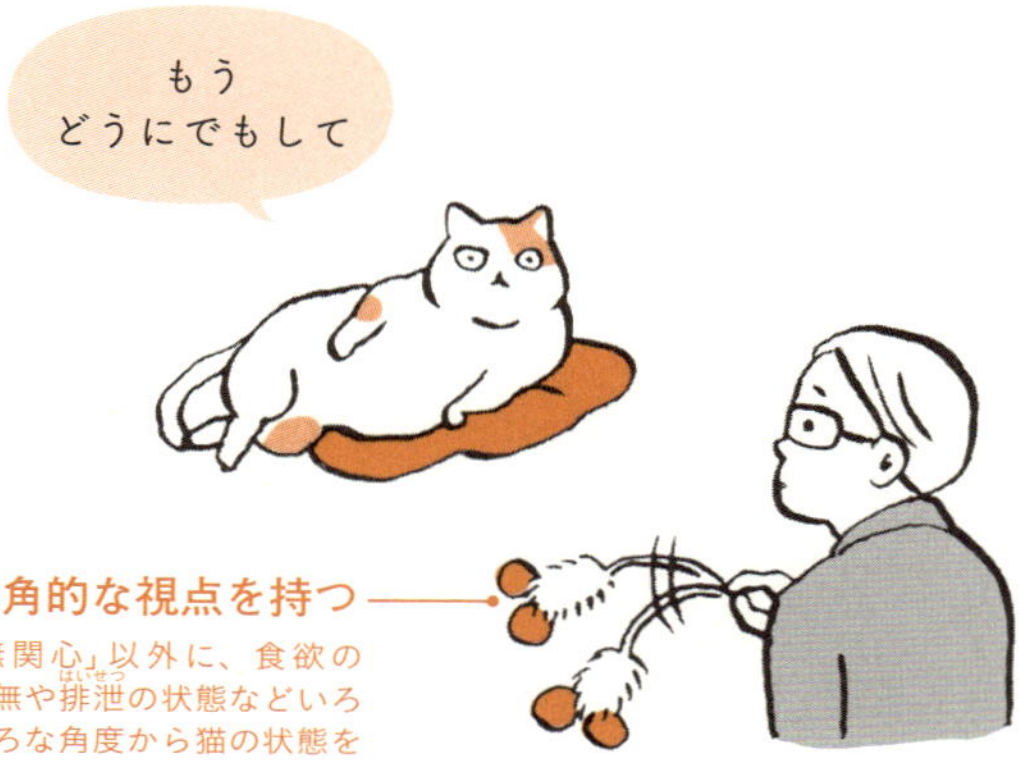
もう
どうにでもして

1

「元気がない」が悪化した状態かも

猫は人のように精神的な問題で無関心になりにくいので、原因は病気だと考えられます。看《み》取《と》りが近いことを覚悟したほうがよいサインです。

多角的な視点を持つ

「無関心」以外に、食欲の有無や排泄《はいせつ》の状態などいろいろな角度から猫の状態を観察しましょう。

2

病気の痛みで苦しんでいる可能性も

何らかの病気によって激痛がある場合、周囲に反応する余裕がなくなることもあります。治療や緩和ケアを動物病院に相談しましょう。

はぁ

まずは原因を見つける

愛猫が「無関心」だと、飼い主は不安な気持ちなってしまいますが、まずは無関心の原因を探ることを最優先にします。

別に
うれしくないやい

リラックスの効果

猫は体調不良からストレスを感じているかもしれません。リラックスできる環境で、少しでもストレスを軽減させます。

3

寄り添って安心させる

寄り添うことで安心感を与えられるかもしれません。スキンシップを好む猫なら触ってあげ、苦手な猫ならおやつなど好物で関心を引きましょう。

受診のサイン⑤

呼吸が浅い

平常時に呼吸が浅いと、病気のサイン。1回に吸う量が少ないので、呼吸数が増加します。

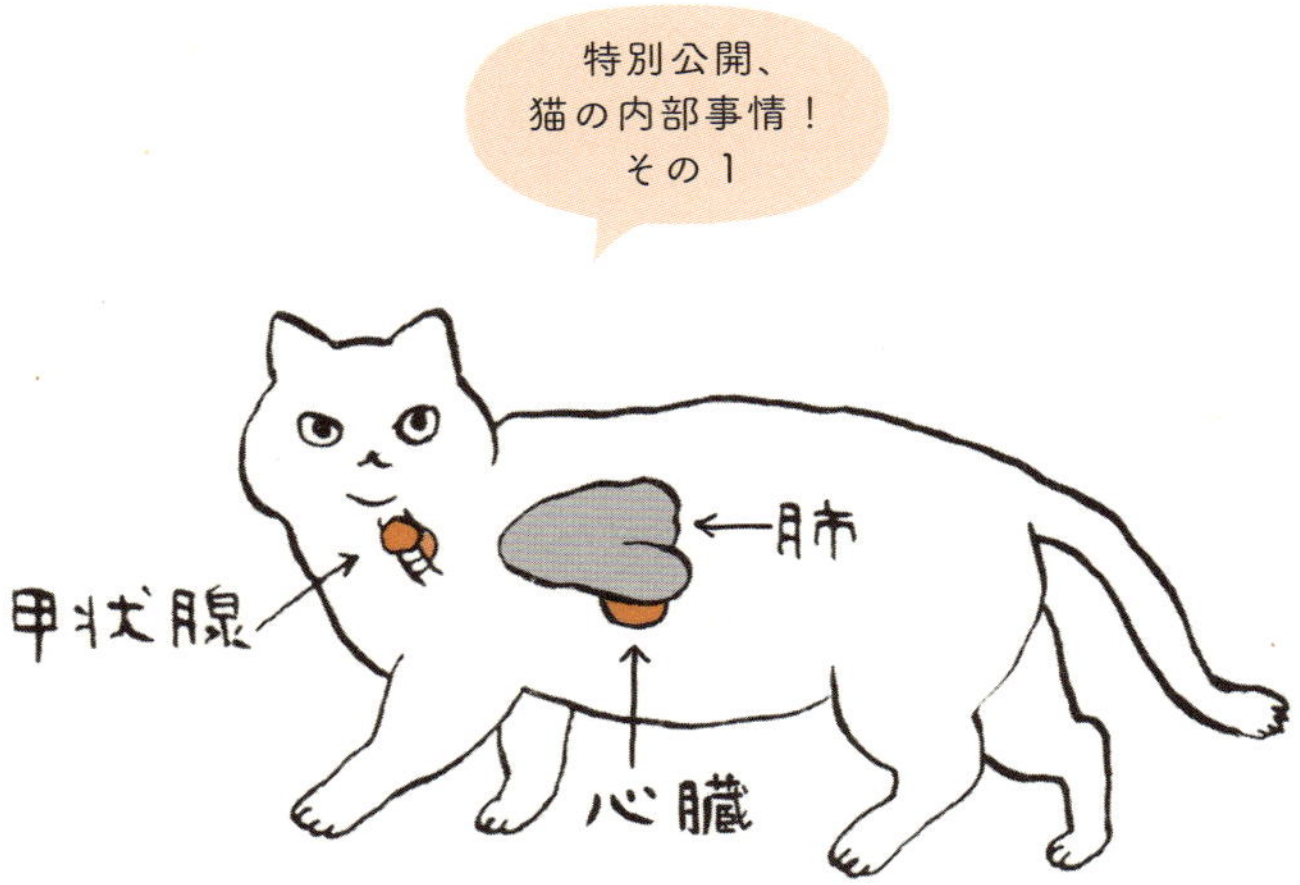

「ハッハッ」と浅い呼吸は要注意

呼吸が浅い状態は心臓、肺、甲状《こうじょう》腺《せん》などの病気かもしれません。
また通常、猫は鼻呼吸なので、口呼吸をしていたら要注意です。呼吸の異変は病気のサインと考え、受診したほうが安心です。呼吸を妨《さまた》げないように優しく抱き上げ、キャリーなどに入れて動物病院へ行きましょう。

高齢猫は寝ている時間が多く、呼吸の変化が分かりにくいもの。早期発見には日頃の観察が大切です。動画を撮れば、呼吸数*も測りやすくなります。

＊1分間の呼吸数のこと。

運動後なら自然現象かも

そのときの状況と照らし合わせて、猫の状態を把握することが大切です。重要なサインであるからこそ冷静に観察しましょう。

1 運動直後なら息が浅いこともある

運動直後や興奮したときには荒く浅い口呼吸に。また、呼吸数も確認しましょう。健康な猫の呼吸数は、鼻呼吸で1分間に20〜40回程度で、口を閉じていたら鼻呼吸です。猫の胸が上下する様子から呼吸数を数えます。

2 小鼻が動く鼻呼吸から口呼吸への変化は注意

平常時は静かな鼻呼吸です。もし小鼻がピクピクと動いて、息が早くなったら要注意。やがて口呼吸に変わって息苦しい危険な状態になることも。

少しでも早く

動物病院に行く前に電話して状況を伝えるなど、少しでも早く診《み》てもらえる手はずを整えましょう。

3 動物病院に連れて行く

まずは、優しくすくいあげるように、あるいはバスタオルで包んで、抱き上げます。広さがあり安定した形状のキャリーに入れて、病院へ行きましょう。

「気道」を確保する

胸やのどを圧迫しないよう、気道を確保した状態で抱き上げます。

受診のサイン⑥

震えがある

けいれんによる震えか、低体温による震えかは、「意識の有無」である程度見分けられます。

飼い主は慌てず冷静に対処しよう

けいれんには2種類の原因があります。脳の病気か、脳以外の病気です。代表的な脳の病気としては「てんかん」があります。そのほか、脳の腫瘍《しゅよう》や脳炎などもけいれんを起こす病気です。脳以外の病気としては重度の腎臓病（P94）や肝臓病、低血糖、ミネラルのバランスの崩れがあげられます。また、低体温で震えることもあり、けいれんとの判別が必要になります。けいれんの場合は、意識を失い倒れた状態で震える傾向があります。

1
意識がないときは口に手を近づけない

けいれんは、意識がなく筋肉の収縮が起きている状態。嘔吐《おうと》することもありますが、口に手を近づけると噛まれることも。けいれんが止まった後に対処します。

けいれんはどれぐらいで止まる？

けいれんが止まる時間は、状態によって異なります。1〜2分以内におさまる場合がほとんど。3分以上もけいれんしているときは、すぐに動物病院へ連絡し、病院に連れて行きましょう。

2
震えの反動で落ちないように、低い場所へ移動

猫が高い場所にいるときに震えが起きたら、まず低いところに下ろして落下を防ぎます。猫がけいれんしている場合は、噛まれないようにバスタオルで包んでから下ろします。

けいれん中の対処

低い場所に猫を下ろしたら動画撮影のほかに、できれば病院に行く準備をします。けいれんが止まったら、猫をキャリーに入れて、すぐ病院へむかいましょう。

3
ムービー撮影で獣医師に正確な情報を

震えの症状の原因を探るためには、正確な情報が重要です。撮影したムービーを獣医師に見せれば、正しい診断のための手がかりになります。

意識があって震えている場合

意識がある震えの原因は、寒さや痛み、代謝の低下が考えられます。その場合、暖房やドライヤーなどではなく、毛布で包んで暖めてあげましょう。痛みで攻撃的になっていなければ、噛まれることも少ないです。

受診のサイン⑦

白目が黄色い

黄疸《おうだん》の有無から肝臓病が見つかることも。黄疸《おうだん》が分かりやすい白目のチェックが重要。

上まぶたをめくって確認

猫の目は、白目がほぼ見えません。白目には肝臓病による黄疸《おうだん》があらわれます。黄疸《おうだん》は、皮膚や目などが黄色くなる症状です。猫は毛におおわれ、皮膚に色がついているため、黄色くなっても見分けがつきません。白目を見ればすぐに分かるので、上まぶたをめくって定期的に確認しましょう。耳の内側も判別しやすい部位のひとつです。黄疸《おうだん》がはっきり出ている場合は、重度の肝臓病の可能性があります。直ちに病気の種類に合わせて、投薬などの治療を開始します。

私のこと
見たいのか？

1 元気がないときには白目の色をチェック

猫の元気がない場合、白目の色を確認します。黄疸《おうだん》が出ている状態で元気や食欲があるケースは少ないので、原因を特定しやすいです。

慎重な態度を大切に

看《み》取《と》りの時期は、色んな状況が考えられます。「多分、大丈夫」と考えず、違和感を覚えたらすぐ確認をします。

なんかヤダ、
食べたくない

2 さまざまな症状が出ていれば肝臓病の可能性が高い

黄疸《おうだん》が分かる状態であれば、肝臓病が進行している恐れが。嘔吐《おうと》や下痢などの症状があらわれているはずなので、すぐに動物病院を受診します。

不安要素を洗い出す

黄疸《おうだん》以外にも異変を感じている場合、どんな症状がみられるかリストアップして獣医師に伝えます。

3 入院も視野に入れる

肝臓病は、2〜3日の入院で数値が回復するものもあれば、1ヶ月におよぶ治療を要するものもあります。例えば、重度の脂肪肝*（肝リピドーシス）の場合は1ヶ月前後の入院が必要です。

3

現状を整理する

入院する場合、時間とお金がかかります。飼い主の現状と照らし合わせて「できること」「できないこと」を整理しましょう。

＊肝リピドーシスの症状は、食欲の低下や睡眠過多、嘔吐（おうと）、下痢、黄疸（おうだん）などです。太り気味の猫に多く見られる病気なので、日頃の食事管理が重要になります。

高齢猫は口内のトラブルが増えます。
異変にすぐ気づけるように日頃から
顔周りの観察を。

受診のサイン⑧

口を痛がる

食べ方や口臭に変化があったら口の病気かも

猫は歯に汚れがたまりやすく、年を重ねると口内のトラブルが増える傾向にあります。高齢猫によく見られる歯肉炎や歯周病は命に関わる病気ではありませんが、放置すれば心臓[*1]病や腎臓病（P94）を誘発します。また、口内や顔周りに発症することが多い[*2]「扁平上皮《へんぺいじょうひ》がん」にも注意が必要です。主なサインは、食べ方が変わった、口臭が強くなった、口をクチャクチャと動かす、などです。動物病院の定期健診でも確認してもらいましょう。

＊1 高齢猫に多い心臓病として肥大型心筋症があります。心臓の壁が厚くなってしまいポンプとしての機能を失ってしまいます。発病すると運動嫌いになることが。突然死や血栓症の原因になることも。
＊2 扁平上皮がんは、皮膚がんの一種で、死に至ることも。発症の原因のひとつとして、紫外線があげられます。色素の薄い白猫は、特に注意が必要です。

1 扁平上皮《へんぺいじょうひ》がんや歯周病の可能性が

特に注意したい口内の病気は、扁平上皮《へんぺいじょうひ》がんや歯周病。扁平上皮《へんぺいじょうひ》がんになってしまうと、結果的に命に関わる恐れがあります。歯周病予防には、日頃から歯みがきなどの口腔《こうくう》ケアをしておくことが大切です。

口の中が
痛いのだ…

「手遅れ」を防ぐ！

歯肉炎が悪化すると、歯周病になります。日頃から歯みがきを行い、口臭や歯ぐきからの出血がみられたら、すぐ獣医師に相談しましょう。

2 まずは獣医師に相談したほうが安心

猫は口を触られるのが苦手。痛みがあればなおさらです。動物病院で定期的に健康診断を受けるほか、自宅で異変に気づいたら動物病院へ連れて行きましょう。

ニャーーン

飼い主は心のケアを

病院では、猫が少しでもリラックスできるようにそばにいてあげたり、家の匂いがついたタオルを持参したりなど工夫しましょう。

3 食事をふやかすなど工夫して与える

口内が痛むと食欲が低下し、体力も落ちてしまいがちです。トラブルの原因が明らかになったら食べやすい食事に。ドライをふやかす、あるいはウェットフードをミキサーでペースト状にするなど、猫の状態に合わせて与えましょう。

美味しそうかも
お！

食べやすく、美味しく

お湯でふやかすと、フードが温まり、嗜好《しこう》性も高まります。

嘔吐《おうと》は、生理的なものか病気のサイン。様子を見てよい4条件に当てはまらなければ、対処が必要。

受診のサイン⑨

嘔《おう》吐《と》する

「猫は吐く動物」と思い込まない

猫は健康時でも、生理的な理由で嘔吐《おうと》することがあります。「猫は吐く動物だ」と思い込むと、嘔吐《おうと》の回数が増えても見過ごしてしまいます。様子を見てよいのは、①週に1回以下、②体重が減っていない、③食欲がある、④下痢をしていない、という4つの条件をすべて満たす場合のみです。頻繁な嘔吐《おうと》は、体に負担をかける上に、甲状腺《こうじょうせん》機《き》能亢進症《のうこうしんしょう》（P96）など代謝の病気やがんの可能性があります。早めの対処が大切です。

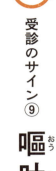

1
毛玉のみを吐いているなら様子を見る

毛玉のみを吐く場合、頻繁でなければ様子を見てもよいでしょう。高齢猫は毛《け》繕《づくろ》いの頻度が減るので、毛玉を吐く回数が減りますが、増えたら要注意です。

判断材料を増やす

吐き出したものが毛玉か判断できない場合は、それを持参して獣医師に相談したほうが安心です。病院に行くまでに時間がかかる場合は、写真を撮っておきましょう。

2
嘔吐《おうと》したものが逆流して命を落とす恐れがある

寝たきりの猫や、てんかんを起こした猫が吐いた場合、嘔吐《おうと》したものが逆流して、のどにつまる危険が。逆流しないように枕をどけるなどして、頭の位置を低くしておきましょう。

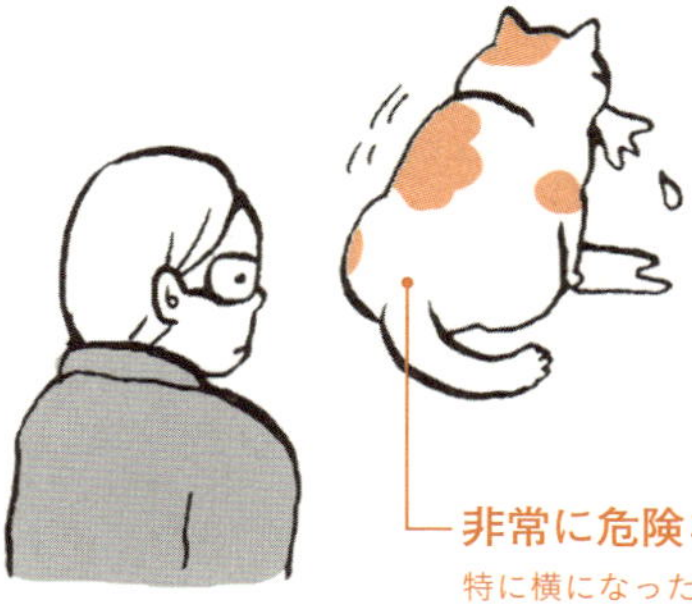

非常に危険な状態

特に横になったまま嘔吐《おうと》しているときは、体力がほぼない状態。あと2〜3日の余命である場合が多い傾向にあります。

3
嘔吐《おうと》の原因を確定させ適切な治療を行う

嘔吐《おうと》の原因は、病気や異物誤飲などさまざまです。適切に対処するためには、動物病院で検査を受けて正しい診断を得ることが重要です。

誤飲防止のためにできること

思わぬ誤飲が猫の命を脅《おびや》かすこともあります。猫が飲み込める大きさのものは、できるだけ床に置いたり落としたりしないようにしましょう。

受診のサイン⑩

吐こうとしても吐けない

繰り返し吐いたり、吐いたものに異物が混じったり、下痢やけいれんをしたりしていたらすぐに動物病院へ。

誤食したときはすぐ病院へ

猫が毛玉だけを吐くのは問題ありませんが、嘔吐《おうと》がおさまらない、吐こうとしているのに吐けないなどの症状があるときは別。病気や誤食・誤飲が原因かもしれないので、すぐに受診してください。獣医師には、いつ、どんなものを、どれだけ食べたか、何回嘔吐《おうと》したかなど、できるだけの情報を伝えます。誤食したそのものがなくても成分内容が書かれた商品パッケージなどを持参すると、素早く治療を行うことができます。

1 受診前のNG行為

嘔吐《おうと》をうながすために塩*をなめさせてはいけません。胃が刺激されて嘔吐《おうと》につながることもありますが、吐くことができないとナトリウムの過剰摂取になり、神経症状が出たり、昏睡状態に陥ったりすることがあります。

＊以前は食塩やオキシドールを飲ませて嘔吐《おうと》させる治療法もありましたが、動物の体に及ぼす悪影響が大きいと証明され、今ではNGとなっています。

無理だって
しお

オキシドールも厳禁

オキシドールで吐かせるのもNG。食道や胃の粘膜を傷つけてただれてしまいます。

2 受診時には残骸を持参

誤食したものの残骸や嘔吐《おうと》物はビニール袋などに入れて受診時に持って行きます。残骸がなくても食べた可能性があるものでもOK。

まだ、おなかに
何かが…

病院で催吐《さいと》処置を

病院では、吐き気をうながす薬を点滴、注射するなどして嘔吐《おうと》させます。誤食かどうか分からない場合はレントゲンを撮ることも。

誤食症状チェックシート

- □ 連続して、または間隔をあけて何度も吐く
- □ 吐こうとしているのに吐けない
- □ 食欲がない
- □ 口を気にする。開けたり閉じたりする
- □ 口をくちゃくちゃさせたり、よだれを出す
- □ 元気がなく丸まっている
- □ 体が震えている

受診のサイン⑪

おなかがふくれている

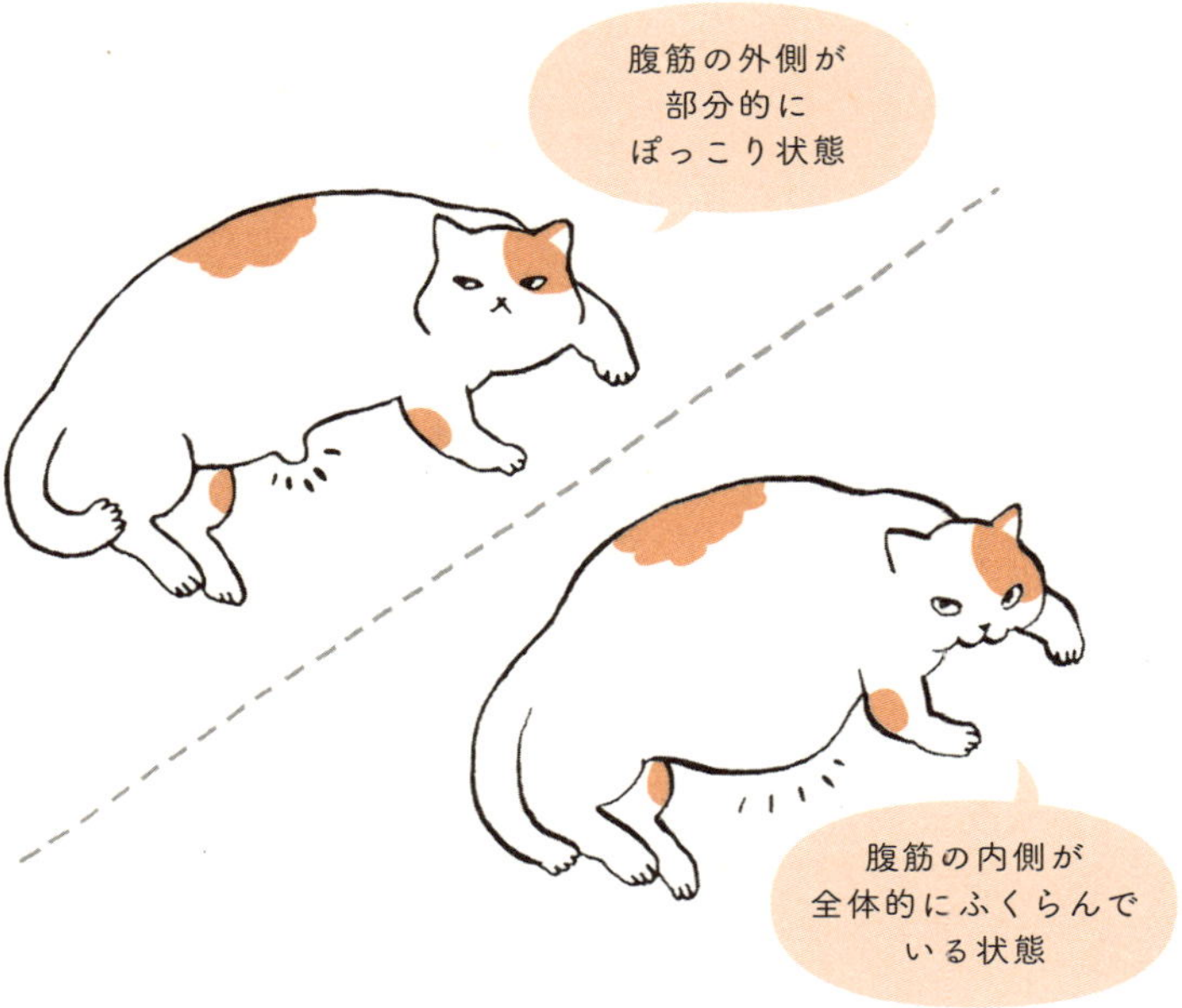

腹部のふくらみは命に関わる病気がひそんでいる可能性が高いので、気づいたらすぐに動物病院へ。

ふくれるところは腹筋の内か外

ふくれ方によって原因が分かる場合もあるので、状態を確認しましょう。腹筋の外側が部分的にぽっこりとふくらんでいる場合は、しこりです。がんの可能性もあるので動物病院を受診するとともに、定期的に大きさを定規《じょうぎ》で測ります。腹筋の内側が全体的にふくらんでいる場合は、がんによる内臓の腫《ふく》れや腹水《ふくすい》がたまる病気かもしれないので、すぐに受診します。肥満や妊娠も考えられますが、高齢猫はまず病気のサインと考えましょう。

1 触って状態を確かめ定規《じょうぎ》で大きさを測る

腹部のチェックをする場合は、刺激を与えないように優しく触ること。正確な大きさを確認するためには、定規《じょうぎ》で測ったほうがよいでしょう。

押すな、
押すなよ……

大きさを記録する

定規《じょうぎ》で測るときも、しこりを圧迫したり、強く刺激したりしないよう注意しましょう。

2 重病の場合もあるので必ず獣医師に相談を

腹部のふくらみは、重い病気の恐れがあります。自宅のチェックで状態を判断するのは、ほぼ不可能です。まずは動物病院へ行きましょう。

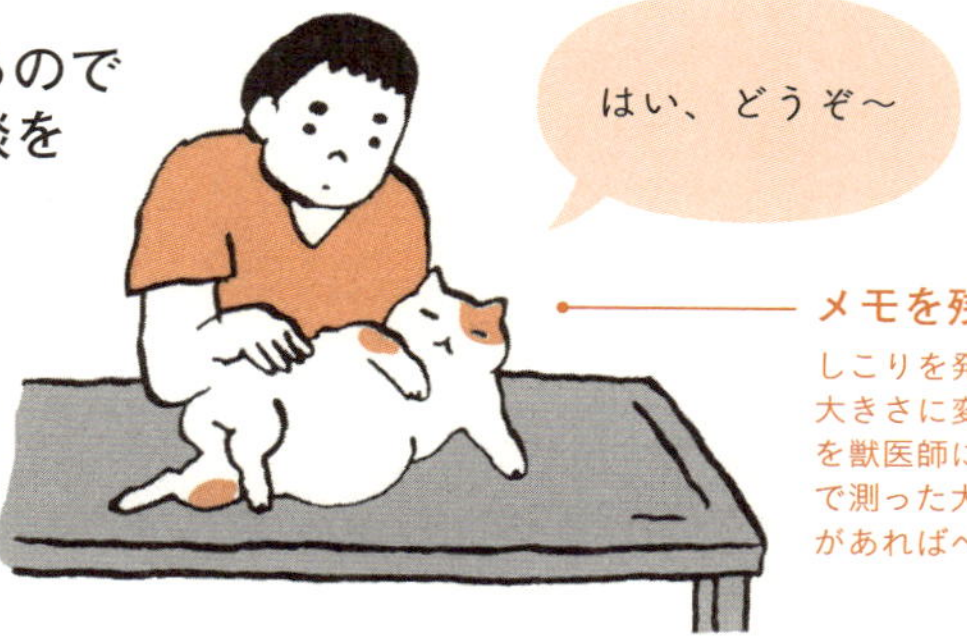
はい、どうぞ～

メモを残すのが理想

しこりを発見したときから、大きさに変化があれば状況を獣医師に伝えます。定規《じょうぎ》で測った大きさの記録メモがあればベストです。

やめてよ

獣医師の判断をまつ

しこりがおなかの内側にある場合は、見た目で判断することができません。腹部にふくらみを感じたら、動物病院を受診しましょう。

3 ふくらみに気づいてもむやみに揉《も》まない

表面のしこりは良性の場合と、がん（悪性）の場合があります。揉《も》んだり触ったりして刺激を与えると、大きくなることがあるので注意しましょう。

受診のサイン⑫

胸にしこりがある

飼い主でも見つけることができる猫の乳がん。胸やおなかをマッサージしながら行う月１回の乳がんチェックを習慣に。

乳がん発生リスクは10歳〜12歳がピーク

乳がんの早期発見や治療の大切さを伝える「ピンクリボン運動」。猫にも同様に「キャットリボン運動」があります。

病死した猫の死因の約3分の1ががんで、中でも最も多いがんが乳がんです。中〜高齢期の猫に多く、99％がメスに発生します。人間同様、早期発見が大切で、そのためにおすすめするのがマッサージチェックです。体をマッサージするようになでながら、しこりがないかどうか確認します。

1

2cm以下のしこりを見つける

猫の乳がんは転移しやすいので、しこりを2cm以下で早期発見できるかどうかが重要なポイント。3cmを超えるとその後の治療や予後、生存期間が大幅に短くなります。

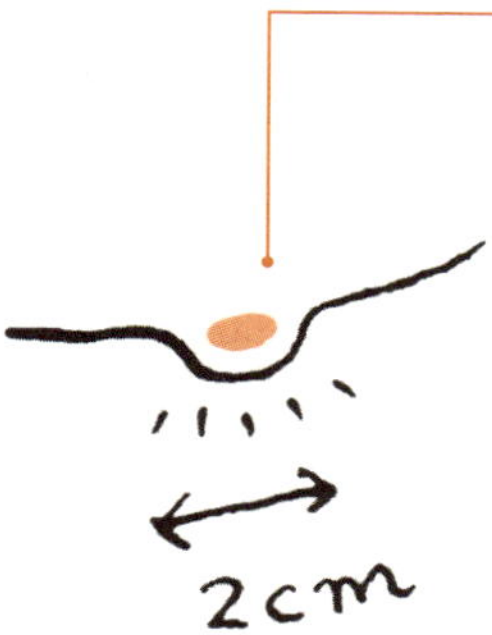
2cm

おっぱい周りをチェック

猫の乳腺は前足のつけ根、後ろ足のつけ根にかけて左右4つ、計8つあります。この乳腺にできるがんが乳がんです。

2

おうちでセルフチェックしよう

セルフマッサージチェックは2ステップ。途中で嫌がったら無理強いせず、機嫌のいいときに行いましょう。

①猫をひざではさむようにして仰向けに寝かせる

②胸の周りやおなか、前足のつけ根、後ろ足のつけ根をマッサージ。腫れやしこりはないか、痛がらないか、足のつけ根は腫れていないか、おなかの広い範囲をチェックする

念入りにな

上下左右をもれなく

上から下へ、右側、左側と順にチェックします。おっぱいは指先で優しくつまむようにしてチェック。

3

注意したいしこり

しこりは丸くもりあがっているものだけではありません。平らなものや小さいもの、しこりが動くものもあるので、違和感があったら病院へ。自己判断は禁物です。長毛種は毛をかき分けてチェックしましょう。

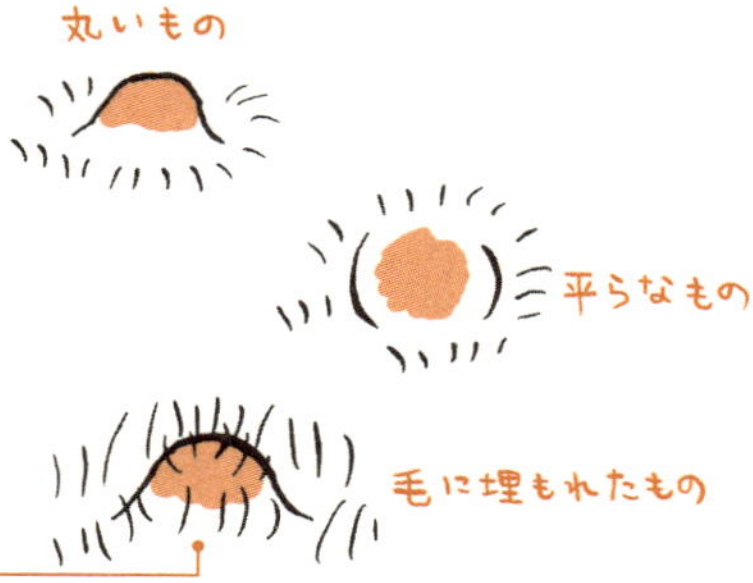
丸いもの
平らなもの
毛に埋もれたもの

違和感があれば動物病院へ

しこりはひとつの乳腺にだけできることもあれば、何ヵ所かの乳腺にできることもあります。しこりが小さいから、という自己判断は禁物。しこりの状態を獣医師に伝えます。

絶食が続くと脂肪肝《しぼうかん》を発症することも。
脂肪肝《しぼうかん》は、肝不全の原因にもなるので要注意です。

受診のサイン⑬

ごはんを食べない

食べないことが病を引き起こす

猫は絶食に弱い動物です。食べない状態が3日以上続くと、肝臓に脂肪がたまる脂肪肝《しぼうかん》（肝リピドーシス）という病気をまねく危険があります。体調がよくても、食事や環境の変化で食欲が低下することがあり、放置すると脂肪肝《しぼうかん》になってしまうかもしれません。脂肪肝《しぼうかん》は暴飲暴食のイメージですが、猫は絶食によって発症します。食欲がなければ、速やかに動物病院を受診しましょう。最近では食欲増進剤を投与することも増えています。

基本を大切に

元気がない、排泄に異常があるなど、毎日の体調チェックシート（P31）の項目に立ち戻ってひとつずつ確認します。

1

「食べない」以外の症状の有無を確認する

食欲不振はさまざまな病気のサインとしてあらわれます。ほかにも異変が起きているかもしれないので、猫の様子をよく観察しましょう。

2

嗜好《しこう》性を高めるなどごはんを工夫する

猫は食事にこだわりがあったり、食欲にむらがあったりすることが多い動物なので、嗜《し》好《こう》性を高める工夫が有効です。例えば、温めると匂いが強まり、嗜好《しこう》性が高まります。

嗜好《しこう》性と栄養のバランス

嗜好《しこう》性を高める一方で、栄養バランスも重要です。嗜好《しこう》性ばかりを重視しないように注意します。

3

吐いているときは無理に食べさせない

嘔吐《おうと》の症状が出ているときは食事を控えたほうがよいです。動物病院の検査は、絶食の状態のほうが正確な結果が出るので、そのまま受診します。

タイミングを見極める

嘔吐《おうと》後は無理に動かさず、猫を休ませて、絶食状態が長くならない頃を見計らって動物病院へ行きます。

多飲が病気のサインである場合も。一方、飲水量が少なすぎると尿道結石《にょうどうけっせき》（尿路結《にょうろけっ》石《せき》）の原因になるので、要注意です。

受診のサイン⑭

水を飲みすぎる

日々の飲水量をチェックしておこう

病気の兆候として飲水量が増えるケースがあります。特に高齢猫が水を飲みすぎる場合は、腎臓病（P94）が疑われます。腎臓病の初期から中期にかけては、尿の量が増えます。その結果、のどが渇き、飲水量が多くなるのです。糖尿病や甲状腺機能亢進症などでも水をよく飲む症状があらわれます。

水の飲みすぎに気づくには、健康時の飲水量を把握しておく必要があります。若い頃と比較*してみましょう。

＊幼少期の飲水量があいまいなら、現状を記録します。意識的に1回あたり「○○ml」など与える水の量を決めておくと、どれ位飲んだか分かりやすいです。

1

尿が「出る」から「飲む」というサイクル

排尿した分を補うサイクルで、飲水が行われます。つまり、飲みすぎを防ぐために与える水分を減らすのは、意味がありません。脱水症状にならないように、水分は必要な量をきちんと与えましょう。

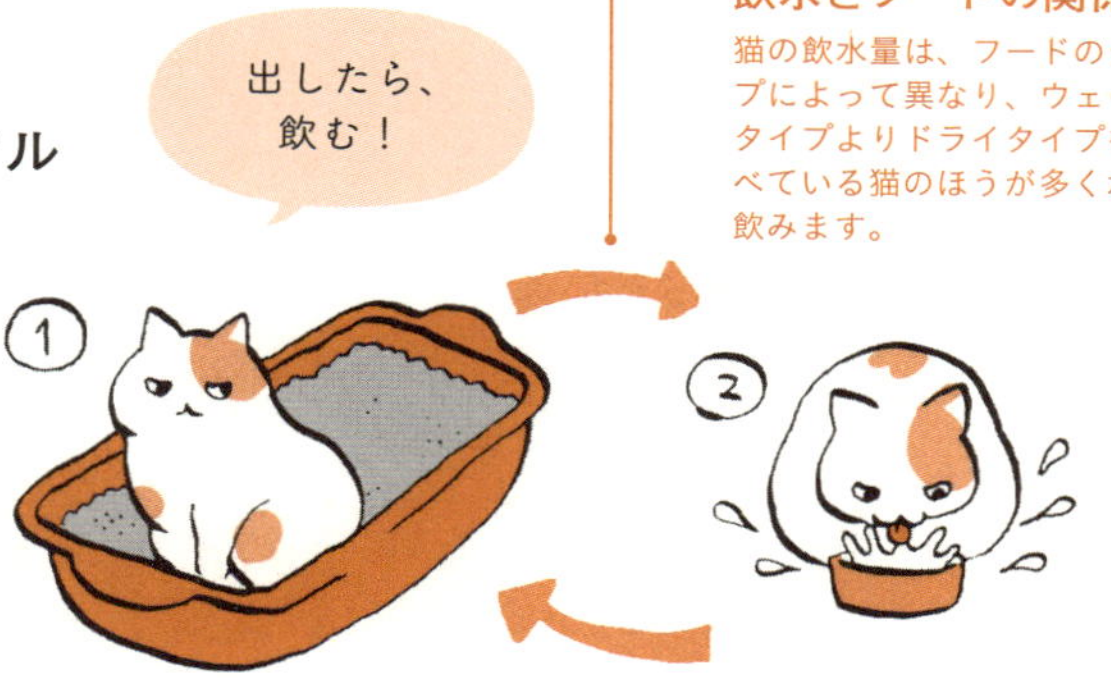

飲水とフードの関係

猫の飲水量は、フードのタイプによって異なり、ウェットタイプよりドライタイプを食べている猫のほうが多く水を飲みます。

昔と比べる

異常に気づくために、猫の幼少期と比べるのもひとつの方法です。どの位の大きさの容器で何回水をあげていたかなど振り返りましょう。

2

若く健康なときの飲水量と比較する

病気を疑う飲水量の目安は、体重1kgあたり50cc以上です。それ以下でも、若く健康なときの飲水量と比較して2倍以上あれば注意が必要です。

3

落ち着いて現状を知ることが大切

水を飲みすぎる症状のほかに、異変があらわれているかもしれません。猫の様子を観察して現状を確認し、気づいたことがあれば動物病院に相談します。

違いを探す

健康なときの猫の生活習慣と照らし合わせて考えると、違いを見つけやすくなります。

異常があると、痛みから陰部をなめ、トイレによく行きます。その場合、すぐ動物病院を受診しましょう。

受診のサイン⑮

排尿に異常がある

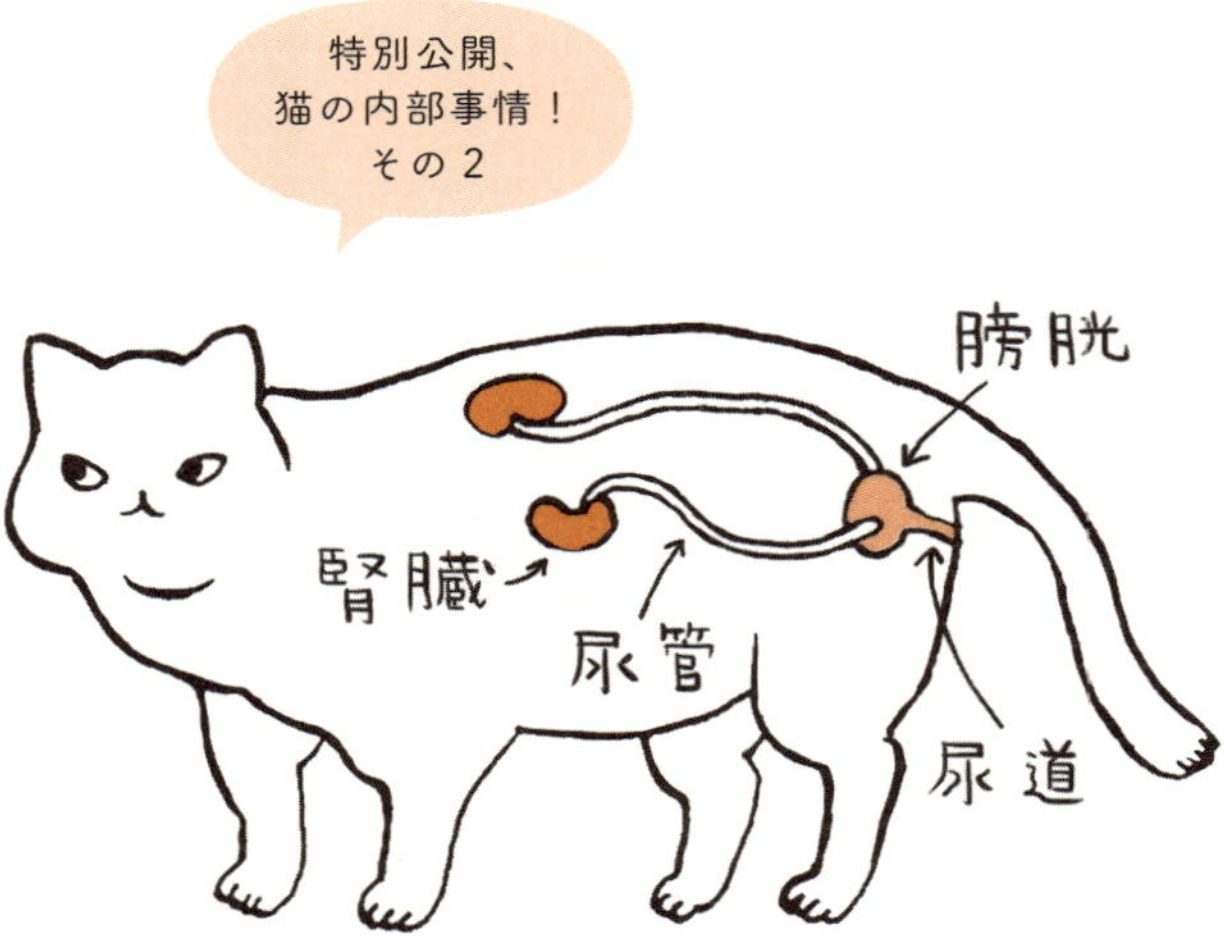
特別公開、
猫の内部事情！
その2
膀胱
腎臓
尿管
尿道

尿が出ない状態は命に関わる

トイレに行く回数が増えるのは、「尿を出しても残尿感がある場合」か「尿道に結石がつまるなどして尿が出ない場合」です。前者なら膀《ぼう》胱《こう》炎《えん》[*1]、後者なら尿道《にょうどう》結石《けっせき》[*2]（尿路《にょうろ》結石《けっせき》症《しょう》）や尿道《にょうどう》閉塞《へいそく》[*3]が疑われます。排尿が24時間以上なければ、命の危険があります。

尿が出ないことに気づいたらすぐに受診します。排尿に関する病気は、フードで予防ができるので、獣医師への相談をおすすめします。

＊1 膀胱炎（ぼうこうえん）は膀胱（ぼうこう）が炎症を起こし、残尿感が強い病気です。　＊2 尿道結石（にょうどうけっせき）（尿路結石症［にょうろけっせきしょう］）は、腎臓、尿管、膀胱（ぼうこう）、尿道などに石ができる病気です。
＊3 尿道閉塞（にょうどうへいそく）は尿道がつまり、尿が出せない病気でオスがかかりやすい病気です。

1

排尿がない時間と生存率

尿が出なくなってからの生存率は、48時間で7割、72時間で2割です。助かるかどうかは、持病の有無や猫の体力次第になります。

24時間以内を死守

尿が出なくても、24時間以内なら助かることが多いです。手遅れになる前に対処します。

2

トイレの砂のかたまりの増減をチェック

トイレの回数に加え、排尿の有無や量を日頃から確認しましょう。トイレの砂をチェックして、尿を吸収したかたまりの増減で尿の量を判断します。

掃除しながらチェック

排尿の状態把握は、トイレ掃除のときがおすすめです。毎日決めた時間に掃除をすれば、より正確な状態が分かります。

3

排尿の状態を獣医師に伝える

健康なときの尿の状態（色・量）を記録しておけば、異常時に診察の手助けになります。色の変化が一番分かりやすく、通常はにごりのない黄色です。白い猫砂を使うと、尿の色が確認しやすくなります。また量については、猫砂に水を50mlほど注いで猫砂のかたまりを確認します。50ml排尿したときのかたまりの大きさを基準（定規《じょうぎ》）にしてください。

「異常な尿」とは？

異常があると、尿の量が少なくなることも。また、膀胱炎《ぼうこうえん》、尿道結石《にょうどうけっせき》（尿路《にょうろ》結石《けっせき》）では血尿が見られることが多く、尿の色が赤くなります。

猫の検尿

自宅での尿の採取は、細菌など尿以外のものが混ざりがちです。尿の採取は、病院で行うほうが確実です。

受診のサイン⑯

排便に異常がある

排便の異常は病気のサインです。まずは状態、次に回数を確認しましょう。異常に気づいたら動物病院へ。

便の状態と回数のチェックを日課に

正常な便はミルクチョコレートの色で、適度なかたさがあります。まっ黒の便は胃や小腸、赤っぽい便は大腸や肛門の炎症などで出血している恐れがあります。軟便や下痢も要注意。猫は便がかたくなりがちで、便秘になりやすいです。食事制限がなければ、小さじ1杯のヨーグルトで便をうながすことができます（P43）。便秘は腎臓病（P94）や巨大結腸症*などの兆候でもあるので、動物病院に行くなど早めに対処したほうがよいでしょう。

＊慢性的な排便障害により結腸が大きく膨らむ病気。

キレイにしてよね

1 トイレは常に清潔に

猫はきれい好きなので、トイレが汚れていたり同居猫の便が残っていたりすると、トイレに行かなくなることも。常に清潔にしてあげましょう。

とにかく「きれい」が一番

看取《みと》りの時期は、免疫《めんえき》力が衰えている傾向にあります。清潔な状態を保って不用意な感染症を防ぎましょう。

1
2
3

2 便秘が3日以上続く場合は動物病院へ

排便は1日1～2回が正常な回数です。たとえ病気ではなくても便がたまると苦しいので、まずはマッサージ（P43）などで排便をうながします。

1日1便が基本

1日1回、排便をしていれば問題ありません。しかし突然、下痢をした場合は、何らかの病気にかかった可能性もあるので、動物病院を受診しましょう。

快便準備、OK!

3 便の状態から出血しているところや病気が分かる

動物病院で便を検査してもらえます。排便後、半日以内の乾燥していない便を、密閉できるビニール袋などに入れて持って行きましょう。

かたさ

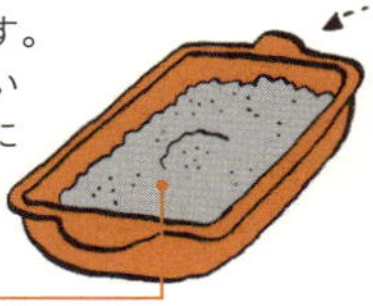

色
食べたし、
出したし、
あとは寝るだけ～

便の状態チェック

動物病院に便を持って行くときは、最低でも親指の第一関節分の量を。できるだけ、猫砂がついていない部分を採取しましょう。

COLUMN

3

猫語から分かる猫の気持ち

猫は鳴き声やしぐさでさまざまな気持ちを表現します。実は、とても感情が豊かな動物なのです。ここでは鳴き声の意味を紹介しましょう。

「ゴロゴロ」とのどを鳴らす音は、主にリラックスしている状態です。スキンシップのときに気持ちよさそうな表情で「ゴロゴロ」とのどを鳴らしたら、良好な関係と考えてよいでしょう。「にゃあ」とはっきり鳴いていたら、食事や遊びなどを訴えている可能性があります。猫が必要としていることを見極めることが大切です。「にゃー」と長く鳴く場合は、不満を強く訴えていることが多いので、無理強《じ》いは禁物です。「にゃっ」という短い鳴き声は、主に飼い主の呼びかけに対する返事として使われます。「カカカ」と不思議な鳴き声は葛藤や興奮の状態なので、落ち着くまで見守ってあげます。

鳴き声の中でも「にゃあ」「にゃー」「にゃっ」は、人へのコミュニケーションに使われます。猫の鳴き声の意味を正しく知ることが、ともに暮らす上で重要です。猫の気持ちはしぐさにもあらわれるので、上手に読み取って良好な関係を築きましょう。

第4章

終末期の猫に多い病気とケア

腎臓の病気の対処法

具体的な病名をきちんと調べてもらい、家では常に水を飲める状態にして、脱水予防を心がけます。

こまめに水を飲ませ脱水させない

腎臓は体内の老廃物を尿として排泄する重要な役割を担っています。12〜13歳頃からその機能は低下し、15歳を超えると約8割の猫が何かしらの腎臓病*を患います。

腎臓機能が悪化する腎臓病にはさまざまな病気があります。中には命に関わるものもあるため、きちんと病名を診断してもらうことが大切です。状態によって、治療法に違いがありますが、自宅でできることは、とにかく脱水させないようにすることです。

＊腎臓病のサインは、食欲がない、嘔吐（おうと）、多飲多尿、やせるなどがあげられます。

1 自宅でのケアは「食事」「サプリ」「投薬」「点滴」

状態によって違うため、療法食や治療法は獣医師と相談します。脱水しないよう、自宅での点滴（P115）が必要になってくる場合もあります。最近では腎臓の働きを改善する効果が期待される「AIM」というタンパク質を利用した治療法も注目されています。

今後の治療の道しるべ

獣医師がより適切な判断を下せるように、普段の飲水量など、飼い主しか分からない情報をできるだけ多く伝えます。

2 猫は水の飲み方にそれぞれ好みがある

ぬるま湯、冷たい水、蛇口から流れる水、かつおぶしの味がついた水など、猫の好みに合わせた水を用意して、「飲むこと」を最優先にします。

水の好みも十猫十色

食事と同様に、水の好みもまちまちです。無理矢理の飲水はストレスの原因にものなるので、猫の好みを探りましょう。水に魚のゆで汁などを混ぜ、わずかな香りをつけるだけでも効果はあります（P.27）。

3 「腎臓病」は病名ではない

腎臓の機能が悪くなる病気の総称が「腎臓病」です。最低でも、血液検査と尿検査、レントゲン、エコー検査を行い、具体的な病名を調べましょう。

猫がかかりやすい代表的な腎臓の病気	
慢性間質性腎炎《まんせいかんしつせいじんえん》	リンパ腫《しゅ》
多《た》発性腎嚢胞《はつせいじんのうほう》	腎周《じんしゅう》囲《い》嚢胞《のうほう》
腎細胞《じんさいぼう》がん	腎結石《じんけっせき》（☆）
腎《じん》盂《う》腎炎《じんえん》（☆）	糸《し》球体腎炎《きゅうたいじんえん》

注（☆）は完治の可能性がある腎臓病です。

甲《こう》状《じょう》腺《せん》機《き》能《のう》亢《こう》進《しん》症《しょう》への対処法

きちんと食べているのに体重が減少するなら、甲状腺の病気の可能性があります。

体重をこまめに量り悪化していないか確認

＊甲《こう》状腺機能亢進症《じょうせんきのうこうしんしょう》は、自宅での体重チェックが大切です。処方薬を飲んでも体重が減るのなら、薬の量が合っていない可能性があります。治療は、投薬で症状をおさえるか、低ヨウ素のフードを与える食事療法か、手術で甲状腺を取り除くかの3つです。投薬で効果が出れば、問題なく生活することができます。のども渇きやすくなるため、常に水を用意します。症状が悪化して失明することも。そのときは、模様替えを控えます（P65）。

＊甲状腺機能亢進症（こうじょうせんきのうこうしんしょう）のサインは、やせる以外に、元気になる、また攻撃的になるなどがあげられます。

1

一見、「健康そう」に見えてしまう病気

甲状腺機能亢進症《こうじょうせんきのうこうしんしょう》の主な症状は、食欲旺盛と体重の減少です。発症は8歳以降が多く、体重が減るのは年のせいと思いがちです。体重減少が見られたら早めに動物病院へ。

食うべし、
食うべし

食べてもやせる

猫に食欲があるときは、意識的に体重を量りましょう。1ヶ月で体重が5%減ったら要注意です。

2

「投薬」「手術」「食事療法」で治療する

甲状腺機能亢進症《こうじょうせんきのうこうしんしょう》の治療としては、病気の進行状況によっても違いがあります。抗甲状腺薬の投与、食事療法のほか、手術を行う場合もあります。

どうすりゃ
いいの？

悲観しないで

甲状腺機能亢進症《こうじょうせんきのうこうしんしょう》は、手術をしなくても、薬で症状がおさえられる病気です。手術は体力が必要なので、猫の状況に合わせて治療法を考えましょう。

3

バリアフリーで事故を防ぐ

症状が進行するにつれ、筋力が低下してきます。筋力の低下による、高所からの落下事故などを防ぐためにも、室内の環境は段差をなくすなどの工夫が必要です（P32）。

これを、
登れと？

状態に合わせた配慮を

落下による骨折など、筋力低下にともなう事故を防ぐよう、室内環境を整えます。

感染症への対処法①

猫エイズや猫白血病は人間にはうつりません。多頭飼育の場合は、発症猫に個室を用意するなど、隔離しておきます。

感染症にも不治の病がある

感染症の中でも最も気をつけたいのは、*猫エイズと猫白血病です。どちらもウイルスによる感染症で、完治は不可能。ただし、発症を遅らせることはでき、ワクチンでの予防も可能です。

猫エイズウイルスは、感染猫とのケンカによる噛み傷で感染します。感染後すぐに症状があらわれない場合もありますが、発症後は免疫《めんえき》力が低下し死に至ります。猫白血病ウイルスは、感染猫の唾液《だえき》などで感染し、発症すると3年以内に8~9割が命を落とします。

＊正確には猫免疫不全感染症と猫白血病ウイルス感染症といいます。
風邪や回虫なども感染症の一種ですが、薬で完治できます。

1
家猫なら感染症の心配はほぼない

家の中の清潔な環境で飼育されていれば、感染症の心配はほぼないと考えられます。猫エイズや猫白血病は、年1回のワクチン接種により予防可能です。

看《み》取《と》り期は室内で

ウイルス感染は、感染済の猫との接触など外的要因によるものがほとんどです。免疫《めんえき》力が低下しがちな看《み》取《と》りの時期は万一、感染すると発症しやすいので、完全室内飼育のほうが断然安全です。

2
猫エイズへの対策

発症を防ぐ・遅らせるために、清潔でストレスフリーな環境を保ちましょう。ポイントは3つ。温度管理、食事管理、定期診断です。発症後も、早期治療で長生きが可能です。

確実に適切に

室内の温度と湿度管理（P36）を徹底して、水や食事はできるだけ新鮮なものを与えます。体調管理に気をつけ、動物病院で定期的なチェックを行い発症の有無を確認します。

治療は対症療法のみ

発症後の治療法はありませんが、二次感染を防ぐための抗生物質や、食欲不振や脱水を防止するための食事補助や補液などがあります。

3
猫白血病への対策

代表的なものとして胸にがんができるタイプと貧血になるタイプがあり、抗がん剤などを使った治療をすることもあります。レンタル酸素室を借りれば、呼吸が楽になり、がんの辛さが和らぎます。

発症を遅らせるには

猫エイズ同様、発症を遅らせるには、ストレスフリーな生活を送ることが大切です。発症後の治療法はありませんが、二次感染を防ぐための抗生物質や、食欲不振や脱水を防止するための食事補助や補液などがあります。また猫白血病ウイルスが原因で発病する「リンパ腫」などの悪性腫瘍に対する治療はあります。

感染を防ぐ

この病気は食器の共有で感染することがあります。多頭飼いの場合は、必ず食器を分けるようにします。

感染症への対処法②

人間の新型コロナウイルス対策と同様に、猫に触る前、触った後は手指のアルコール消毒を。

治療が困難な感染症も

予防法もなく不治の感染症とされてきたのが、猫コロナウイルスによって引き起こされるＦＩＰです。近年、早期治療すれば効果があるとされる新薬が注目されています。マダニによるウイルス感染症ＳＦＴＳ＊も致死率が60％と高いのですが、まだ治療薬はありません。

感染症を引き起こすのはウイルスだけではありません。真菌というカビが皮膚に感染して起きる皮膚病は、高齢猫など、免疫力が低下した猫によく見られます。治療には時間がかかります。

＊猫のSFTS感染、発症は2017年に初報告されました。猫から人にうつることもある感染症です。

1
FIP（猫伝染性腹膜炎）

猫コロナウイルスは、実はほとんどの猫が持っており、多くは無症状か軽度の腸炎程度。しかし何らかの原因で猫コロナウイルスがFIPウイルスに変異を起こすと、致死率ほぼ100％という怖い感染症FIPを発症します。FIPの症状はウェット型とドライ型で2パターンあります。

夢？の治療薬

現在、猫コロナウイルスを体から追い出す特効薬はありませんが、人間のCOVID-19で使用されている薬が、新しく検討されています。今後、猫への安全性や効果を検証できれば将来の特効薬となるかもしれません。

おなかや胸に液体がたまる ウェット型	内臓に肉芽腫ができる ドライ型
・腹膜炎による腹水でおなかがふくれる ・胸膜炎による胸水で呼吸困難 ・40 度近くの熱	・39 ～ 40 度以上の発熱 ・慢性的な下痢や嘔吐 ・目のブドウ膜炎 ・しこりにより腎不全、肝不全
・元気がない、食欲がない ・貧血や黄疸	

2
SFTS
（重症熱性血小板減少症候群）

SFTSウイルスを媒介するマダニに噛まれることで感染・発症します。噛まれた部位の痛みやかゆみなどの炎症のほか、食欲不振、発熱、嘔吐、白血球減少、黄疸などが見られます。重症化すると血小板が減少し、死に至る場合も。感染のリスクを避けるためには完全室内飼育がベスト。

マダニの駆除対策

マダニが寄生したらすぐに動物病院へ。駆除にはスポット（滴下薬）、錠剤、シャンプー、薬用首輪などいろいろありますが、現在の主流はスポットタイプ。猫の頸部に薬剤を滴下するだけなので飼い主・猫ともに負担が少なく、確実に投与できます。

3
真菌症

真菌症は皮膚糸状菌というカビが猫の皮膚に感染することで起きます。高齢猫や病気、栄養不足で免疫力が落ちた状態だと発症することがあり、顔や耳、足などに円形の脱毛が起こります。猫から人にうつることも。猫が感染した場合にはなるべく接触を避けましょう。

脱毛の症状

被毛が円状に抜ける、毛が簡単に抜ける、ふけが多い、かさぶたができる、皮膚が赤くなるなどの症状のほか、進行すると脱毛が全身に広がってしまうことも。

薬で治療可能

飲み薬、ぬり薬などを症状に合わせて選択します。飲み薬の投薬期間が長期になるときは副作用が出ていないか確認を。脱毛箇所が一部に集中しているときは患部周辺の感染した毛を除去し、ぬり薬を塗布します。薬が気になってなめてしまう場合はエリザベスカラーをつけることも。

糖尿病への対処法

インスリンで血糖値のコントロールをきちんと行いながら、上手に糖尿病と付き合っていくことが大切です。

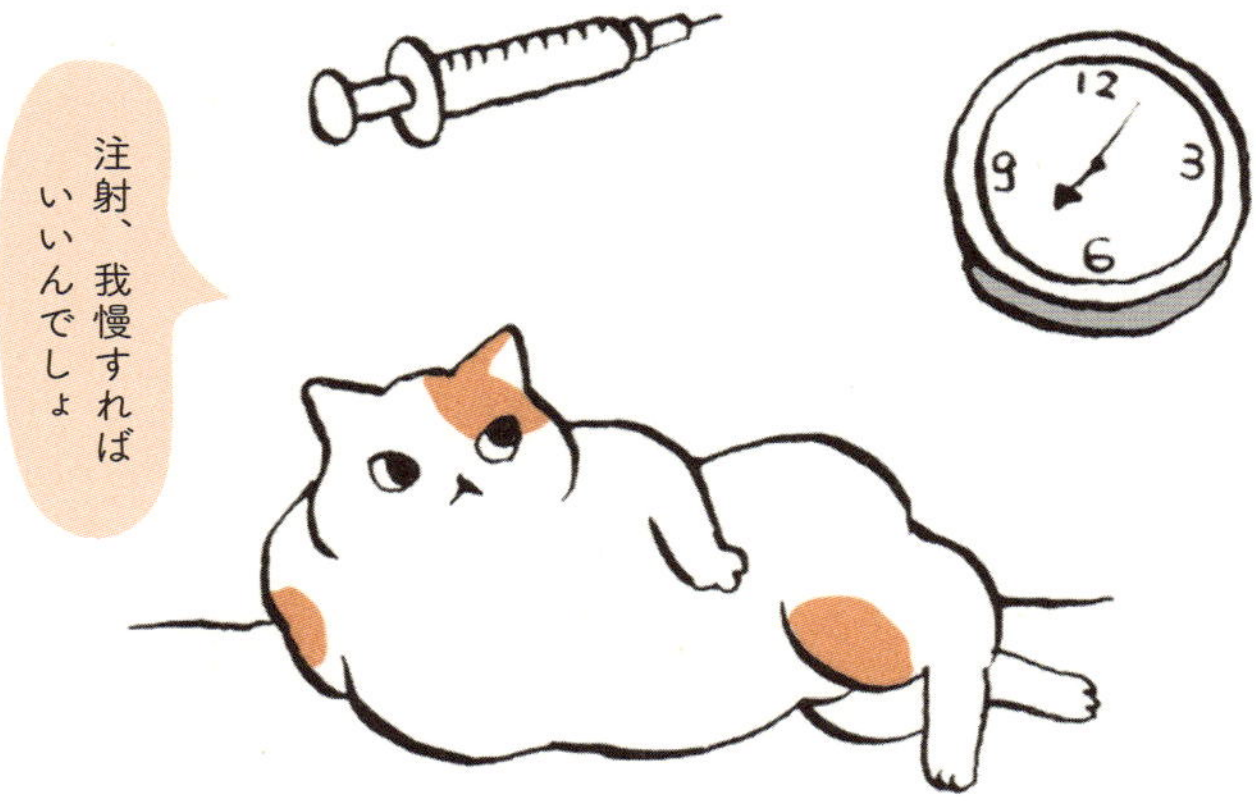

インスリン治療を中心にケアする

インスリン投与と食事療法でしっかり治療を行えば、すぐに命に関わる心配はありません。血液中の糖分を吸収し、血糖値を下げる役割をしているのが、インスリンというホルモンです。インスリンが分泌できない、またはうまく作用できないなどで、高血糖の状態が続くのが糖尿病*です。糖尿病は、猫の内分泌《ないぶんぴつ》疾患《しっかん》の中で最も多い病気であり、肥満傾向のある猫に多いといわれています。日頃から体重管理に気をつけておくことが大切です。

＊糖尿病の症状は、多飲多尿、嘔吐、かかとをついて歩いている（P63）などがあげられます。

私、そんな
脳天気じゃないから

1
人間の糖尿病とは違うところも

猫は本来、肉食性です。エネルギー代謝を血糖に多く依存していないため、人間の糖尿病に比べ、重い症状になりにくいといわれています。太っていて、一見健康そうに見えるため、「ハッピー糖尿病」といわれることも。

見た目から分かる特徴

糖尿病のサインとして、かかとをついて歩く（P63）ことがあげられます。普段と歩き方が違うと感じたら、かかとの様子を観察してみましょう。

ちょっと、
忘れないでよ

時間厳守

インスリンの効果は時間で区切られます。仕事などやむをえないときは、病院に預けるなどしてインスリンの効果を絶やさないようにします。

2
インスリンの時間を守って糖尿病を管理

インスリン投与は獣医師の指示に従い、毎日決められた時間に行います。また、おやつを含め、食事療法の内容についても指示に従いましょう。

3
怖いのは、他の病気を併発すること

他の病気を併発させてしまうと、「糖尿病ケトアシドーシス」という危険な状態を引き起こします。命にも関わるため、くれぐれも注意が必要です。

好きに
なっちゃうかも

併発を防ぐために

感染症（P98・100）や肥満からくる病気など、猫の体調を守れるのは飼い主です。病気のケアとあわせて普段の体調ケアも行います。

がんへの対処法

「手術」「抗がん剤」「放射線」どの治療を選択していくか、後悔のないよう、よく考えましょう。

治療の方法をよく考えておく

猫に多いがん[*1]は「リンパ腫《しゅ》」[*2]と「乳《にゅう》腺腫瘍《せんしゅよう》」ですが、ほかにさまざまな種類のがんがあります。どんながんなのか、病気の進行具合によっても違いがありますが、治療としては「手術」「抗がん剤」「放射線」の3つがあげられます。また、緩和ケアのみで最《さい》期《ご》を迎えるというケースもあります。選択肢がいろいろあるだけに、がんと診断されたときに、はたしてどこまでやってあげたいのかを、家族、獣医師と相談しながら考えていきましょう。

＊1 がんの発症は、11歳以降の高齢期に多く見られます。
＊2 リンパ腫の症状は、がんができた場所にもよりますが、嘔吐や下痢、呼吸困難などが見られます。また、乳腺腫瘍の症状は、胸部や腹部にかたいしこりが見られます。

1
「後悔しない」決断をじっくり考える

治療の選択に悩むときには、セカンドオピニオンに相談してみるのもひとつです。決断は難しいですが、後悔しないことを最優先に考え、検討しましょう。

広い視野を持って

セカンドオピニオンで生まれる比較や新しい視点は、思考を前進させてくれます。

○○
動物病院
獣医A
××
動物病院
獣医B

2
「放射線治療」という決断

「放射線治療」を行える動物病院はかぎられています。治療費も高額になります。これらのことも考慮しながら、どうするかを決断しましょう。

1回しかいわないよ、
大好き

状況を整理する

猫のこと、飼い主のこと、お金や時間のことなど、必要になる要素を洗い出し、総合的に考えると整理しやすくなります。

3
治療以外にできること

がんの中には、痛みをともなうものもあります。痛みがある場合は、痛みどめを投与したり、痛い部分を優しくさすったりするなどしてあげます。

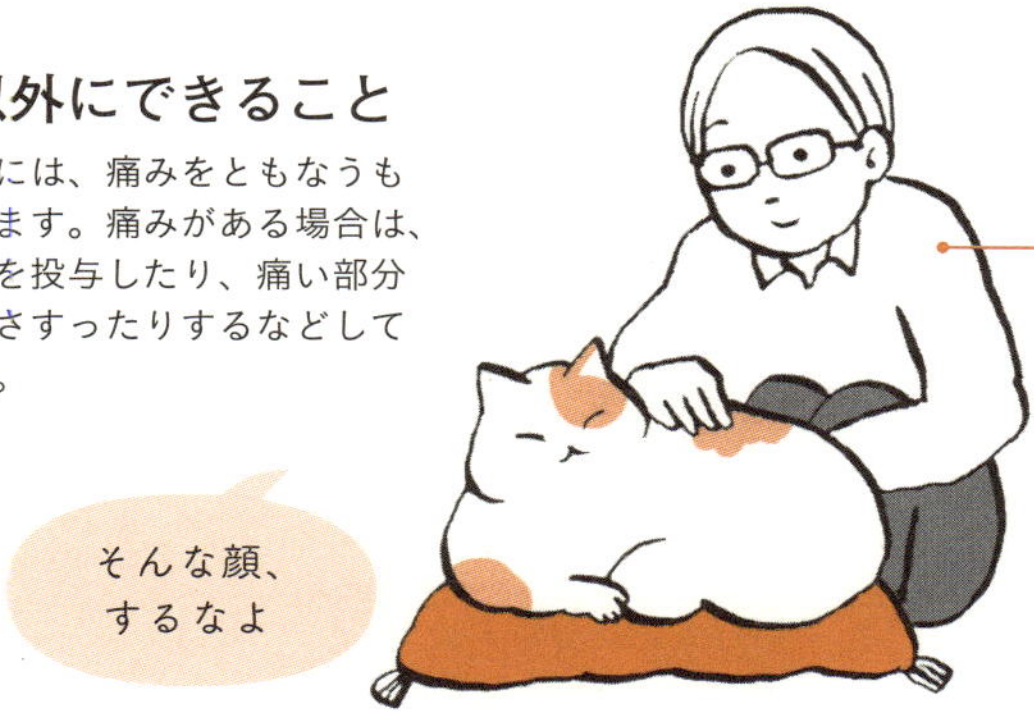
そんな顔、
するなよ

心身ともにケアを

緩和ケアはがんに欠かせない治療です。体だけではなく、心も癒《いや》してあげる気持ちで接します。

「終末期」の病院の選び方

通院する機会が増えてくるだけにさまざまな面をよく考慮し、獣医師に直接会って判断しましょう。

キーワードは「信頼」と「終末期医療」

信頼できる獣医師かどうか、看取《みと》りも視野に入れた終末期の医療が得意なのかを、まず確認しましょう。

年齢を重ねるにつれ、動物病院に通う機会が増えます。これまで数年に1回ほどしか、動物病院に行っていなければ、信頼できる獣医師が見つかっていない場合があります。また、今まで通っていた動物病院が、終末医療に明るいともかぎりません。看取《みと》り期を前に、納得できる動物病院を選ぶようにしましょう。

1 治療する病気が決まっていれば専門病院も

最近は、特定の病気に関しての専門病院（がんを専門に取り扱う病院など）も増えています。選択するときのひとつとして考えてみましょう。

飼い主同士で情報交換

待合室で同じ悩みを抱える飼い主に会うことがあるかもしれません。悩みを共有したり、情報交換したりする場にもなります。

2 「近くて通いやすい」も重要な要素

病気の治療などで通院するときに、自宅から遠いと移動も大変です。また自宅が近ければ、動物病院によっては往診してくれるという利点もあります。

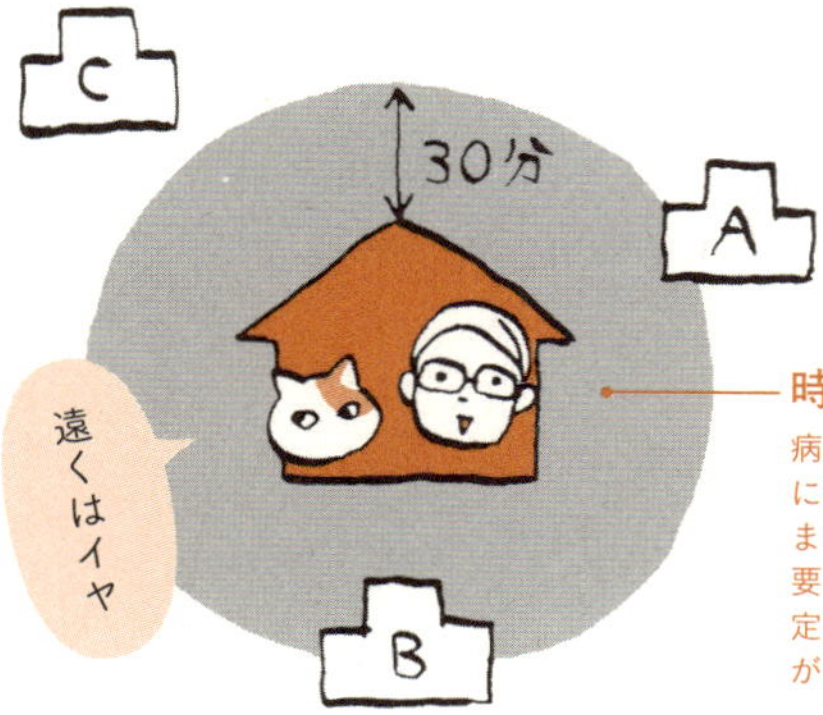

時は金なり

病気によっては、頻繁に通院しなければいけません。また、緊急を要するときのことを想定しても片道30分以内がおすすめです。

3 あなどれない「フィーリング」の重要性

獣医師との相性が合う、合わないも、お互いの信頼関係に大きく影響します。クチコミだけで判断するのではなく、自分の直感や感覚も大切です。

猫が教えてくれること

愛猫と出会ったとき、決め手は何でしたか。「直感」の大切さは、すでに猫が教えてくれているかもしれません。

通院のストレスを少なくしよう

動物病院にむかうときも、待合室で診察をまつときも、できるだけ猫にストレスを与えない工夫が必要です。

慣れたキャリーで通院のストレス軽減

通院時は猫を必ずキャリーに入れます。猫の体に負担をかけないよう、中で寝転がっても足がのばせるような少し大きめのキャリーを用意します。体温維持も難しくなるため、中にはタオルや毛布を敷いてあげましょう。看《み》取《と》りの時期にかぎらず、キャリーの素材はプラスチックなど、猫の爪が引っかかりにくいものを選びます。横だけでなく、上部も開くタイプのものだと、診察台で猫を容易に取り出すことができます。

1
猫は病院が苦手、またせない方法を

待合室に長時間いるのはストレスになります。あらかじめ電話をかけてからむかう、マイカーで行くなら、猫は順番まで車内でまつ、などの工夫を。

夏場の車内は灼熱《しゃくねつ》

夏の車内温度は、50度を超えることがあります。車で猫をまたせるときは、なるべく猫だけにせず、エアコンを効かせ28度位に保ちます。

2
電車で通うときはラッシュ時を避けて

キャリーに入れておくのはもちろんですが、電車で通院するときは、通勤通学などで混み合う時間帯を避けるようにしましょう。

猫に罪はないけど……

満員電車の車内に、猫が苦手な人が乗っていたら、お互いに嫌な思いをしてしまいます。猫に負担をかけないためにラッシュ時は極力避けましょう。

3
夜間診療を受けるときの手順

夜間診療は、普段と違う先生なので、薬や病気のデータを持って行きます。また、夜間診療の病院は事前に調べて下見をすれば、いざというときに落ち着いて行動できます。

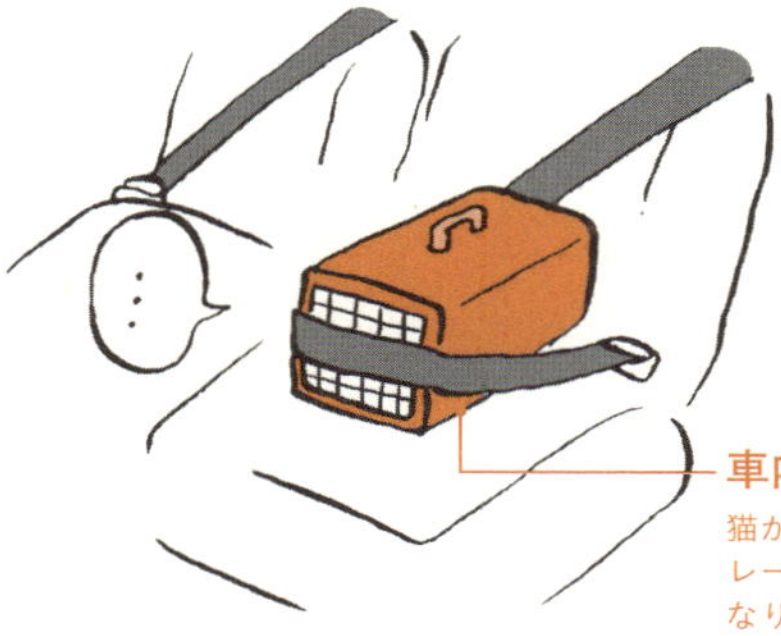

車内でのルール

猫が運転席に来るとブレーキなどが踏めなくなり大事故につながります。「キャリー＋シートベルト」が安全です。

入院することになったら

緊急事態の場合の連絡先を伝えておくだけでなく、面会可能なのかなどの確認もしておきます。

病院との連絡体制をしっかりと決める

終末期に入院した場合、容態がいつ急変するか予測がつきません。入院中に状態が悪化した場合は、急いで駆《か》けつけなければならない状況が出てきます。自宅に電話がかかってきても留守だったら、最期《さいご》に間に合わない可能性も考えられます。

そんな事態を避けるためにも、携帯番号を知らせておく、この時間だったら家族の誰に連絡してほしいなど、あらかじめ連絡体制を決めておくことが大切です。

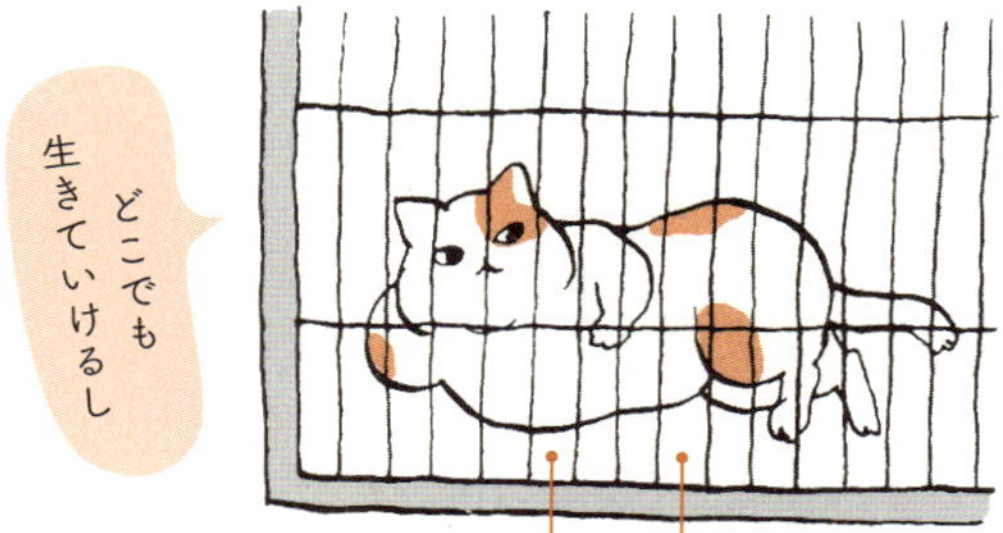
どこでも
生きていけるし

1
入院する状況ってどんなとき？

手術だけではありません。口から食事が摂《と》れない場合や、重い症状の猫を家に1匹で置いておくのは心配だからと、仕事の間だけ入院させる場合もあります。

「できること」「できないこと」

入院が必要になっても、猫や飼い主の状況によって、「できること」「できないこと」があります。獣医師に相談して、判断しましょう。

入院の期間と費用

入院の期間と費用は、病院や猫の状態によって異なります。しかし、入院の予定がなくても、見積もりをお願いすることができます。万が一に備えた準備として、見積もりをお願いしましょう。

2
入院のときにあると猫が喜ぶもの

入院ケージでは少しでも落ち着いてもらいたいもの。動物病院によっては、愛用しているマットやクッションなどを入れてもらえます。

にゃっは～！

安心グッズを知る

猫が少しでも自宅を感じられる工夫をします。日頃から、猫のお気に入りは何か意識的に把握しましょう。

3
入院中の猫のストレスケア

どの位のストレスになるかは、猫の性格にもよります。入院中に面会ができるかどうかなども、あらかじめ確認しておきます。

素直に
なっちゃう！

心を届ける

猫は慣れない環境と病気で不安を感じているかもしれません。面会のときは心の底から「大好き」を伝えてあげましょう。

投薬のキホン①

錠剤を飲ませる

1 口を開ける

片方の手で頭を支え、もう一方の手の指先で口を開きます。

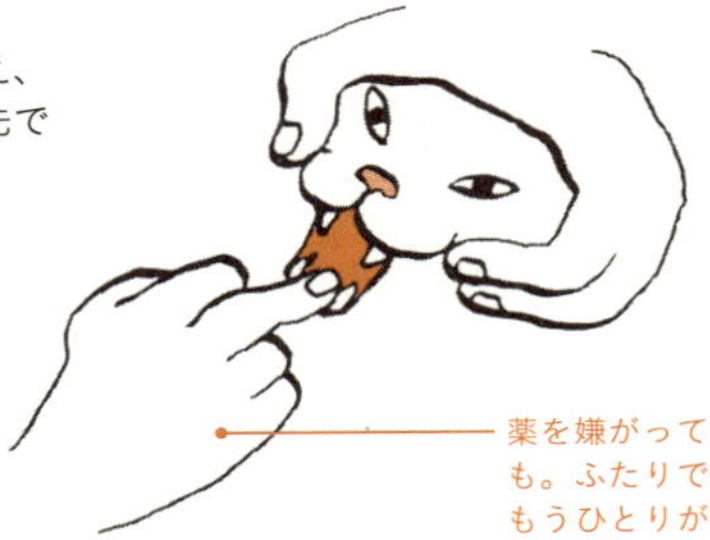

薬を嫌がって暴れることも。ふたりで協力すれば、もうひとりが体を押さえられます。

2 薬を口に入れる

できるだけ口の奥へ薬を入れます。このとき、噛まれないように注意して。

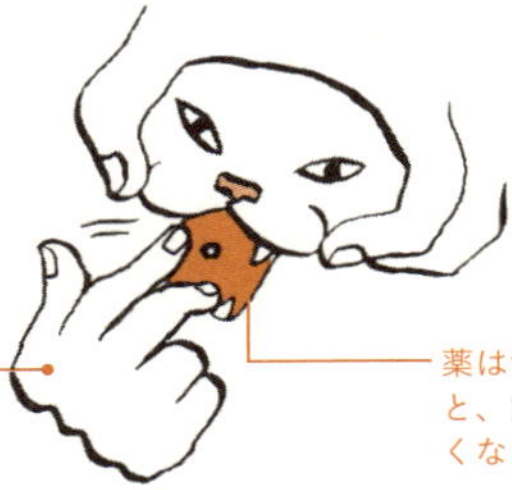

手を噛むようなら、動物病院などで購入できる投薬器の使用をおすすめします。

薬は舌の奥に置くと、飲み込みやすくなります。

3 飲み込ませる

口を閉じて、顔を上にむけたら、のどをさすって薬を飲み込ませます。

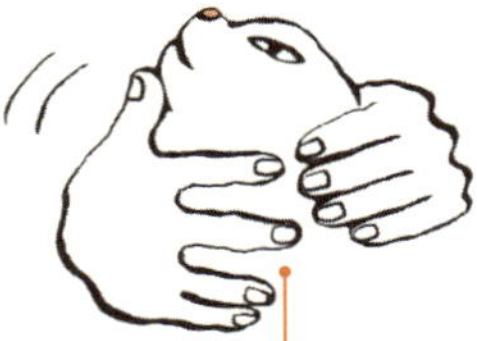

飲み込んだ直後に、水やフードを与えれば、確実に薬を摂取できます。

投薬のキホン②

液剤を飲ませる

1

薬の準備

針のない注射器「シリンジ」を使用するのがおすすめ。イラストのように持つと、スムーズに投薬ができます。

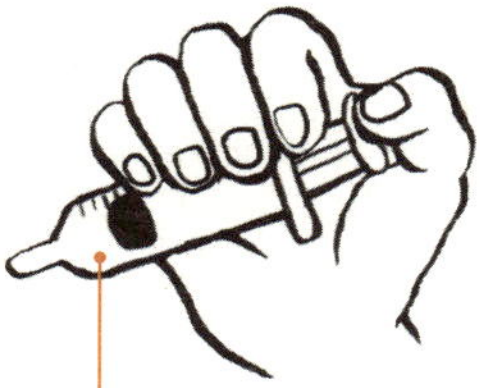
シリンジのほかスポイトで投薬することができます。

2

口を開ける

ほっぺの皮を引き上げて、口を半開きにします。

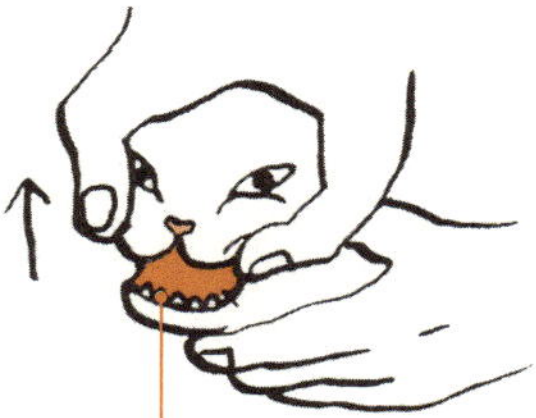
シリンジに液剤を入れてから、猫の口を開きます。

3

薬を口に入れる

犬歯の横から薬をゆっくり流し入れます。

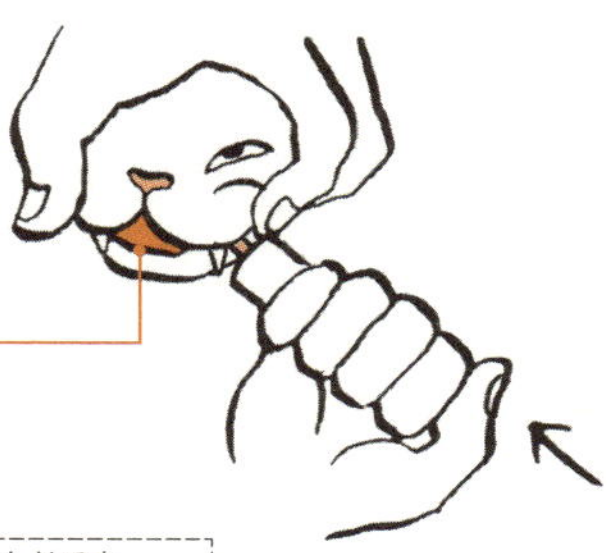
顔を上にむけるようにすると、薬をこぼさず与えることができます。

注：粉薬は、そのまま与えると嫌がる猫がほとんどです。
しかし、多くの動物病院で処方されます。フードに混ぜるか、
水に溶かしてシリンジなどで与える方法がおすすめです。

投薬のキホン③

点眼をする

1

点眼の準備

顔を上に少しむけたら、あごを支え、まぶたを引き上げます。

目薬を嫌がって暴れるときは、バスタオルなどで全身を包み、動けないように固定します。

2

目薬をさす

目薬を持つ手でまぶたを引き上げながら、あごを支えている手の親指で下まぶたを引き下げ、目の上のほうに目薬をさします。

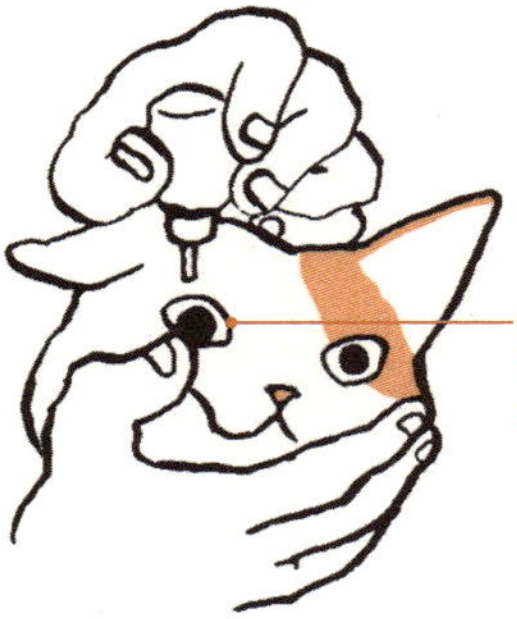

目薬容器の先端が眼球に触れないように気をつけましょう。

3

点眼後のケア

点眼後は優しく目を閉じます。薬がなじむように2〜3回まばたきをさせます。

目薬があふれていたらガーゼなどでふき取ります。

投薬のキホン④

皮《ひ》下《か》点滴を打つ

1 点滴の準備

注射針を打つ場所を決めます。針は、肩の上の皮膚があまっているところにさします。

親指と人差し指の腹でつまむようにして、皮膚を引き上げます。

2 針をさす

ゆっくりと根元まで針をさします。最初は特に、ゆっくりと輸液を流し入れます。

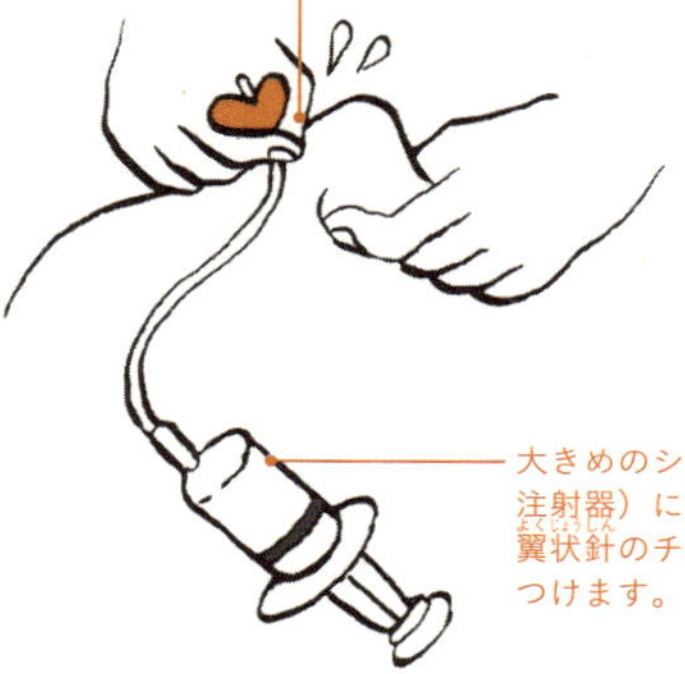
針の根元を持って、45度の角度でさすと、安定します。
大きめのシリンジ（針のない注射器）に先端に針のついた翼状針《よくじょうしん》のチューブ部分を取りつけます。

3 点滴後のケア

ゆっくりと針を抜いたら、針がささっていた箇所を10秒ほど強めにつまみます。

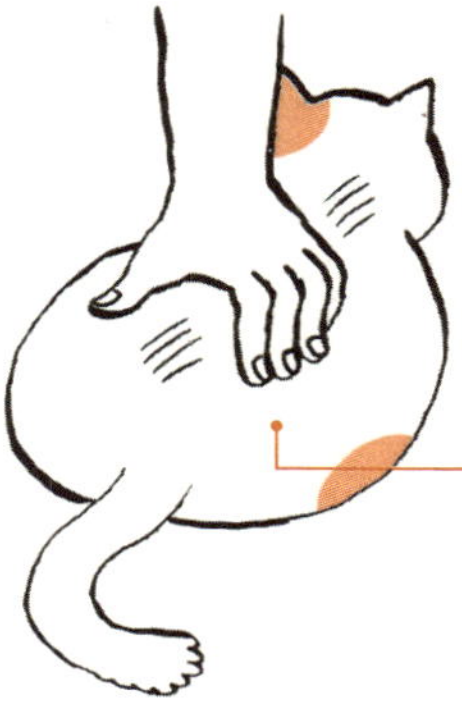
つまむ強さは、痛みを感じない程度にとどめます。自分の皮膚をつまんで「痛くない程度」を確認しましょう。

注：必ずかかりつけの獣医師の説明を受けてから行うようにしてください。

入院や手術については、事前に見積もりをしてもらえる場合も。経済的な見通しをたてることも大切です。

とても高い？猫の医療費

動物には任意で入る健康保険がある

ペットには全員が医療保険に入る国民皆《かい》保険のような制度がなく、医療費は飼い主の全額負担です。国民健康保険の自己負担額は2〜3割ですが、ペットの飼い主の負担額は10割です。病気や治療法にもよりますが、医療費が人よりも高額になる場合も。任意のペット保険に加入すれば、プランに応じて負担額が減ります。加入しない場合は貯金をしておいたほうが安心です。また、動物病院は自由診療なので、病院によって医療費が変わります。

ペット保険への加入は、年齢制限や条件があるので、猫が若い頃から検討しましょう。

ペット保険を検討しよう

年齢や条件によりけり。終末期はほぼ加入不可

ペット保険はペットの病気やけがなどの医療費を補償するものです。プランによって、医療費の補償割合が5割、7割など異なります。加入時には年齢や健康上の制限があり、終末期の猫は加入できないケースが大半。また、保険金が支給されるまでの待機期間が設けられている保険会社もあるので加入時には内容確認を。保険金の支払いは病院の支払いのときに補償分が減額されるものと、後日保険金を自己請求するものがあります。

COLUMN 4

猫パンチと噛みつきの秘密

猫がすり寄って来たのでなでてあげていると、突然、猫パンチされた、噛まれたという経験はないでしょうか。猫はきまぐれな生き物だから、というだけではなく、このような行動は「愛《あい》撫《ぶ》誘《ゆう》発《はつ》性《せい》攻《こう》撃《げき》行《こう》動《どう》」といわれています。

猫パンチや噛まれないようにするには、どうしたらよいのでしょうか。仲のよい猫同士がなめ合っている様子を見ると、そこに秘密があるようです。

猫同士が相手をなめ合うのは、頭や顔周りなど自分ではグルーミングできない部分です。ですから、頭や顔周りをなでてもらうと、猫は喜びます。逆に、おなかや足は猫の急所なので、触られることを嫌う猫がほとんどです。

なでるときは、猫が小さな舌でなめるようになでます。手のひら全体ではなく、指の腹を使い、優しく行いましょう。そして、しつこく続けないことです。なでられるのに飽きてしまうと、イライラから噛みつくことがあります。しっぽを左右に大きく振る、耳をぺたんと後ろに寝かせている、などのしぐさが見られたら、猫が飽きているサインです。

第5章

臨終前後に
してあげられること

意識がない、呼吸の状態が変化したなど臨終《りんじゅう》のサインを見逃さないよう、猫の様子に敏感になることが大切です。

命の終わりが近づくサイン

「意識がなくなる」状態になったら要注意

飼い主が一番分かりやすい、最期《さいご》のお別れが近づいて来たサインは、意識がないということです。ただ、意識がない状態には、いよいよ最期《さいご》という場合と、一時的な場合とがあります。脳の病気などで、けいれんや意識を失うことを繰り返していないなら、最期《さいご》である可能性が高いです。そんな様子が見られたら、呼吸や鼓動の変化に注意しつつ、猫の体を優しくなでながら、臨終《りんじゅう》のときまでそっと見守ってあげましょう。

1
呼吸の状態を観察する

意識がない中、口呼吸をしていたら要注意。呼吸が浅く速い、あるいは逆に呼吸が深くてゆっくりという場合は、あと数時間のことも。そばに寄り添い、表情などを観察しましょう。

呼吸に集中する

呼吸の浅さ深さに、暑い寒いはあまり関係しません。最期《さいご》の可能性もあるので優しく見守ります。

2
脈より胸の鼓動を聞く

飼い主が猫の心拍を調べるときは、猫の胸に耳をあてて鼓動を聞いてみます。臨終《りんじゅう》が近くなると、音が弱く、ゆっくりした状態になります。

猫の心拍数

健康な猫の心拍数は、1分あたり120〜180回です。臨終《りんじゅう》間際になると、心臓病で心拍数が極端に上がる場合もありますが、多くはゆっくりとした心拍になります。

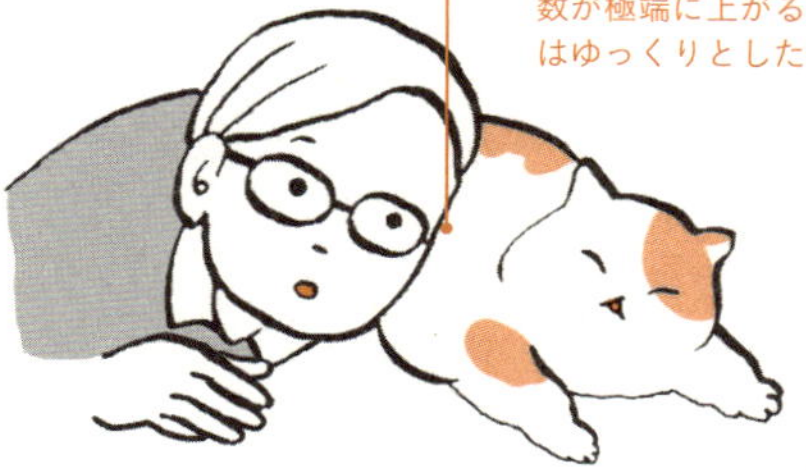

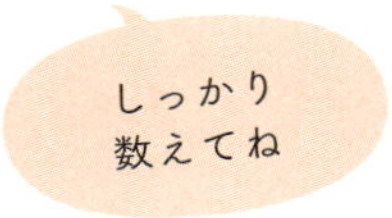

3
吐いた後は特に注意する

嘔吐《おうと》の瞬間は、迷走神経*が刺激されるために心拍数が下がります。嘔吐《おうと》した瞬間に心臓が止まってしまうことが多いといわれるほど、心臓に負担がかかるので、注意が必要です。

見守る目安は1時間

吐いた直後は猫に触れず、そっと見守ります。皮膚がカサカサする、つまんだ皮膚がすぐに戻らないなど、脱水の症状があれば、猫が落ち着いた頃に水分を与えます。

*内臓にも分布する、脳神経のひとつです。

安楽死という選択もある

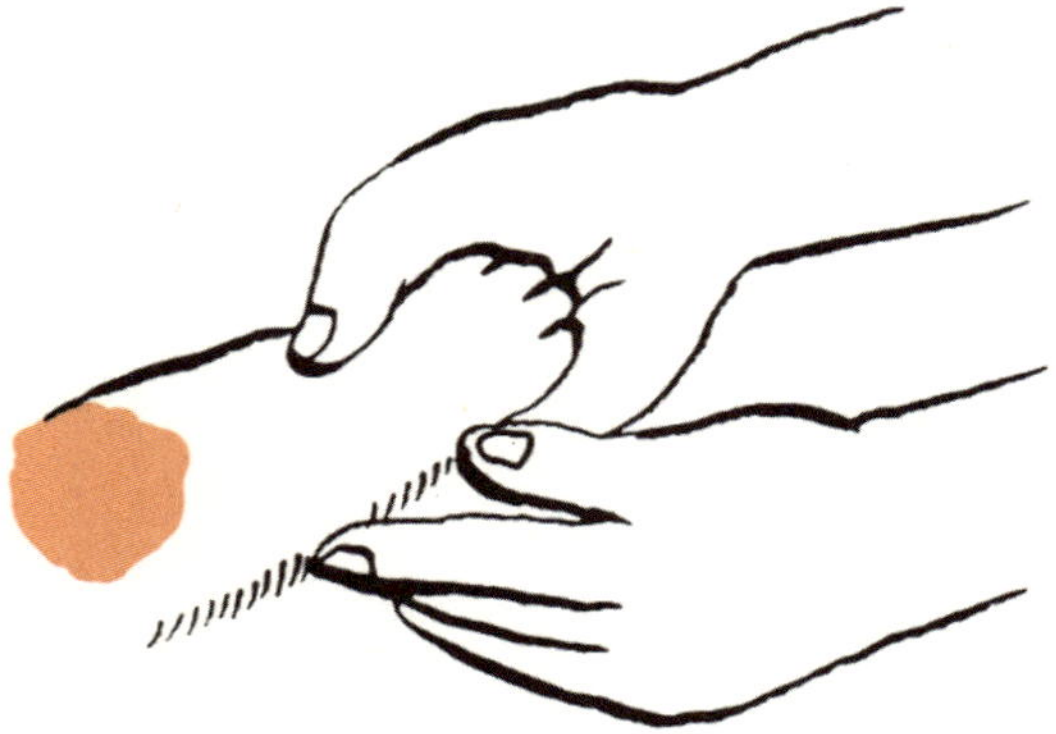

後悔しないためにも、よく考えて。
迷いがある、家族の中に反対の人
がいるなら、やめておきましょう。

日本では比較的少ない安楽死という選択

末期のがんなどで、激しい痛みに苦しんでいる猫の様子を見るのがつらい場合、安楽死という選択があります。日本において、人間に対する安楽死は法律で禁止されていますが、動物にはそのような法律がないため、安楽死の選択が可能です。ただ、アメリカなどと比べ、日本では安楽死をさせず、最期《さいご》まで看取《みと》る飼い主が多いようです。「後悔しないこと」を大前提に、あくまで、選択肢のひとつであるということを考えましょう。

1
家族全員の意思を再確認

獣医師側から安楽死をすすめることは、ほとんどありません。最終決断は、あくまでも飼い主が行います。家族全員が納得できる決断を心がけましょう。決断するにあたって、家族全員の意思を確認し、全員の同意を得ていることが大切です。ひとりでも反対意見があるなら、絶対にやめましょう。

本音で話し合う

話し合いの場をもうけて、素直な思いを出し合います。その上で納得のいく結論を導きましょう。

2
迷うなら絶対にやめたほうがよい

どうしようかと迷いがあるのなら、やめておきます。迷った状態のままで選択してしまうと、やらなければよかったと後悔することにもなります。

感情も尊重する

命に関する決断は、とても難しい問題です。自分が一番納得できることがひとつの指標です。

3
動物病院での安楽死の基準（例）

以下の３つの条件を満たす場合のみ安楽死を選択します。

1　今の獣医療では治せない
2　猫の残りの人生が苦しみのみになる
3　家族全員が安楽死に賛成している

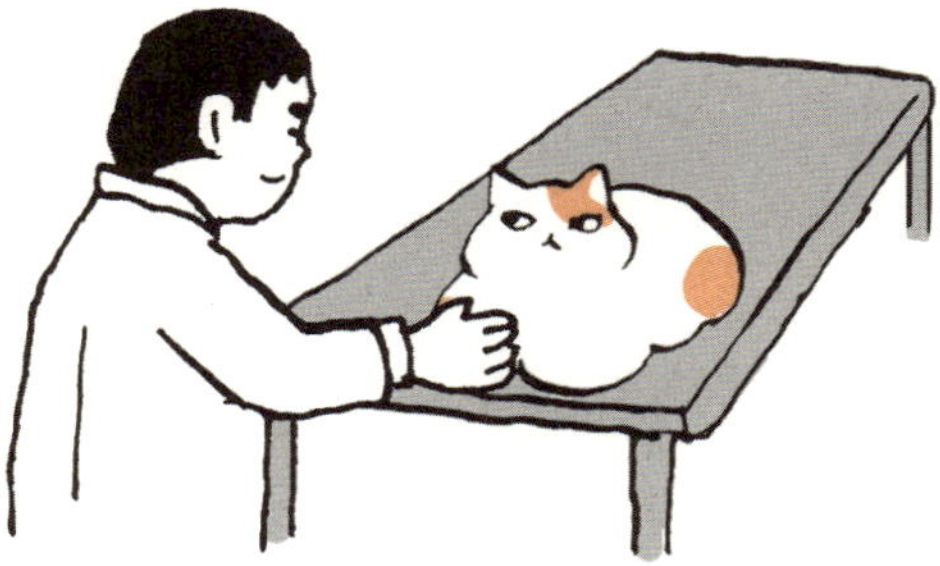

最《さい》期《ご》を見守る家族にできること

家族で相談して決めた治療やケアに誤りはありません。最善を尽くして見守り、悔いのない選択を。

猫に選んだ医療や下した決断は全部正しい

猫が終末期を迎えたとき、「もっとできることがあったのではないか」と後悔するかもしれません。しかし、長い時間を共有した飼い主は、愛猫の一番の理解者です。その子を想って下した判断なら、すべて正しいです。治療やケアについて家族で十分に相談し、最善を尽くしたほうが後悔は少ない傾向にあります。目をそらさず、事前に考えておくことが大切です。楽しい思い出が、看取《みと》りケアを支えてくれることでしょう。

「死をまつだけ」のつらさ

飼い主が悲しい顔だと、猫も悲しんでしまいます。悲しみを少しおさえて、温かく寄り添いましょう。

最《さい》期《ご》まで猫への配慮を続けることが大切

最《さい》期《ご》が近づいても飼い主にできることはまだあります。治療やケアを行う段階がすぎると、静かに見守る時間に変わります。死をまつ時間でもありますが、見ているだけではつらいものです。看取《みと》りケアは医療がすべてではありません。最後まで優しくなでたり寝床《ねどこ》を整えたり、猫への気づかいを続けてあげましょう。飼い主の気持ちもまぎれるかもしれません。悲観的にならず、猫のために行ったことを振り返り、肯定することも大切です。

死の直前は行きつ戻りつ

猫自身の生命力や体力によって違いがありますが、命は波打ちながら燃え尽きる場合が多いと考えられています。

命のリズムを受け入れ最期《さいご》まで見守る

命が尽きていく直前、意識が少し戻ることがあります。意識を取り戻した、と安心したとたん、また急に容態が悪化することも少なくありません。再び、少し目を開けることもあれば、そのまま最期《さいご》を迎えることもあります。

例えると、命は「よい波」と「悪い波」。繰り返し波打ちながら消えていくことが多いようです。どの猫も同じというわけではありません。猫の持つ生命力や体力によっても、違ってきます。

最期《さいご》の兆候が見られたら、時間の許すかぎり、できるだけ猫のそばについていてあげます。

腕の中で看取《みと》る

サインに敏感になって最期《さいご》まで一緒に……

腕の中で看取《みと》るなら、最期《さいご》の兆候に敏感になることが大切です。意識がない、呼吸が浅くて早い、あるいは深くてゆっくりになるなど、その兆候が見られたら、抱っこしたり、そばについていてあげたりします。まるでまっていたかのように、飼い主のぬくもりを感じながら最期《さいご》を迎えたという話もよく聞きます。これまでの絆が、そうさせているのかもしれません。後悔のないよう、できるかぎりのことをしてあげましょう。

なきがらをきれいにして安置する

お別れの準備はつらいものですが、できる範囲でかまわないので、遺体をきれいにしてあげましょう。

心の状態を考慮して無理はしないで

つらいことかもしれませんが、遺体をそのままにしておくことはできません。旅立ちを前に、無理せず、できる範囲で遺体の処置を行います。よだれや目やに、耳あかなど、汚れている部分をきれいにします。また、おしっこが出てきてしまう場合もあるため、お尻周りもふいてあげましょう。きれいな状態でお葬式を迎えさせてあげたいものです。たくさんの思い出をくれたことに感謝して、お別れの準備をしましょう。

1
自宅でできること①

夏場は遺体の傷みを防ぐためにも、保冷剤で冷やしてあげるとよいでしょう。できれば翌日には葬儀を行い、何日も置いておかないようにします。

遺体の清め方

猫の遺体をかたむけると、口から胃液が出たり、陰部から尿が出たりします。いずれも臨終間際の体内に残っていたものなので、量は多くありません。体液で体が汚れたら、ふいてあげましょう。

2
自宅でできること②

体をきれいにしたら、遺体を入れる箱を用意し、安置します。生前使っていたタオルなどを敷く、好きだったものや花を入れるなどします。

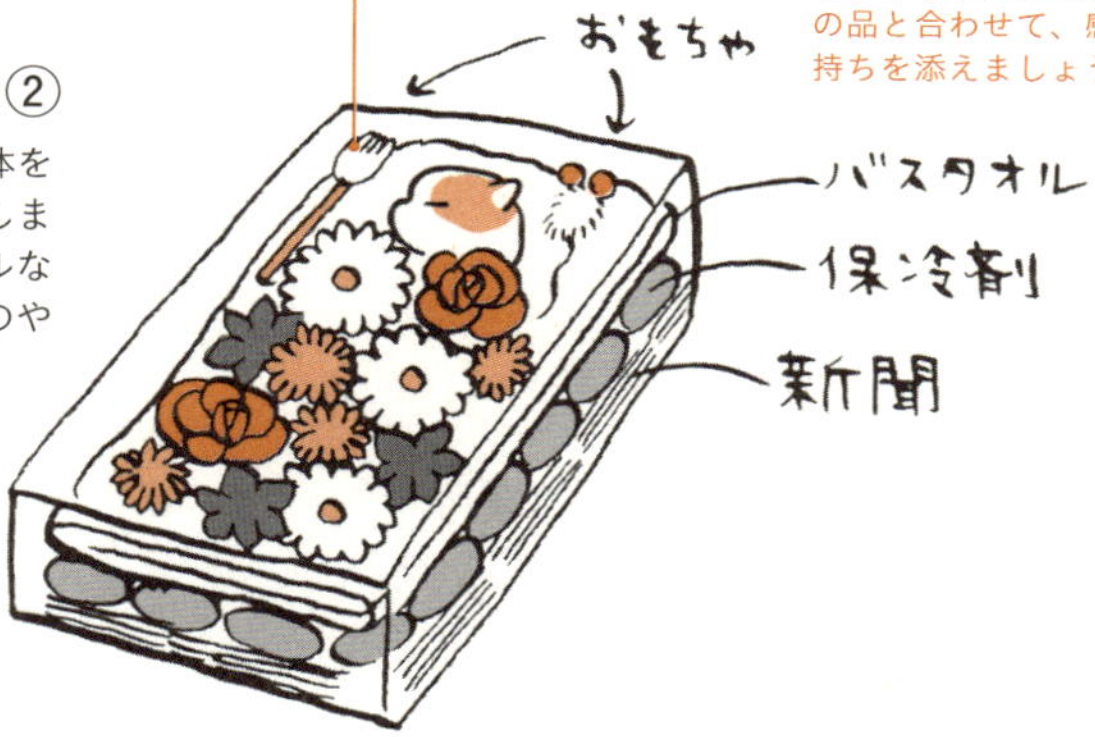

棺《ひつぎ》に入れらるもの

火葬する場合、金属など燃えないものは入れるのを避けましょう。また、思い出の品と合わせて、感謝の気持ちを添えましょう。

3
病院でしてもらえること

動物病院で亡くなったときには、遺体処置が行われます。口の中などには綿をつめ、汚れている場合にはシャンプーをしてもらいます。

無理しなくて大丈夫

自宅で気になる部分をふいてあげることもできます。ただ、つらすぎるときは無理をせず動物病院にお願いしましょう。

葬儀で愛猫を送り出す

こうしなければならないという、決まりがないだけに、悩んだときは信頼できる相手に相談を。

そのときが来る前に葬儀業者を考える

業者選びに悩んだら、かかりつけの動物病院に相談してみるとよいでしょう。猫を亡くした直後は、パニックになって、相場などを調べるのは難しいものです。つらいですが、事前に検討しておくのがよいでしょう。猫を見送った経験を持つ友人に聞くのもひとつです。信頼できる相手からの紹介であれば、安心です。葬儀や供養の方法に、決まりはありません。どのようにしたいかは、あくまでも飼い主の考え方次第なのです。

1
民間の業者に頼む

葬儀業者やペット霊園に火葬を依頼します。遺骨をずさんに扱ったり、多額の請求をしたりする悪徳業者も中には存在します。直接会って、きちんとした業者を選ぶことが大切です。

ペット霊園という選択

ペット霊園では、火葬後に葬儀をとり行い、納骨、供養まで請け負うところが多いです。

思いを反映する

業者によって、葬儀の形式もさまざま（自宅供養、永代供養、合同法要など）。人間みたいに決まった形式があるわけではないので、飼い主の思いを反映できます。

2
自治体に頼む

民間の業者に比べて火葬の費用が安いのが、地方自治体です。自治体によって、火葬方法やその後の対応などが違ってきます。前もって調べたり、直接自治体へ行ったりしてみましょう。

自分の目で確かめる

自治体によっては、お骨や遺灰の返却がないところもあります。直接話を聞きに行くのが確実です。

3
自宅の庭を安住の地にする

自宅に庭があるのなら、庭に埋葬するのもひとつの方法です。埋める穴が浅いとカラスなどに掘り起こされてしまうので、深く掘って埋めてあげます。

自宅で眠る

私有地であれば、埋葬しても問題ありません。愛猫が飼い主をより近くで見守ってくれます。

土に還《かえ》る準備を

土葬する場合の棺《ひつぎ》や遺体を包む布は、土に戻るものにします。布の場合は、ポリエステルは避けて、綿素材にしましょう。

COLUMN

5

獣医師としての喜び

私が院長を勤める「東京猫医療センター」は、猫専門の病院として2012年開院しました。現在では近郊のみならず、全国各地からさまざまな飼い主が愛猫を連れて来院されます。

獣医師は、体調が悪くて来院した猫たちの診察を行い、その原因をつきとめ、病気に合わせた治療を行います。病気が治って元気になってくれる姿を見るのは、当然ですが、うれしいものです。

中でも、この仕事をしていて喜びを感じるのは、先代の猫を亡くされた飼い主が、「新しい猫を迎えたので、次はこの子をよろしくお願いしますね」と来院されることです。

現代の獣医学では、治せない病気もいろいろあります。しかし、少なくともその飼い主家族や猫にとって、よりベストな形で後悔のないように手助けしたいと思っています。愛猫を看取《みと》った飼い主が、その猫が亡くなったことがトラウマとなって、「もう猫は飼いたくない」とならないようにしたいというのは、常に願っていることなのです。

第6章

スピリチュアルペインを癒《いや》す

猫の死を受け入れて十分に悲しむこと。
やがて思い出に変わり、ペットロスが
癒されるはずです。

ペットロスの癒《いや》し方

ゆっくりと一歩ずつでも前に進む

ペットを失った悲しみのことを「ペットロス」といいます。お別れはつらいことですが、思い出に変えることができます。まずは死を受け入れ、悲しむことが大切です。「悲しい」という気持ちを十分にあらわすことで大切な思い出に変わり、立ち直るきっかけになります。悔いのない治療や看取《みと》りができた飼い主は、重度のペットロスに陥《おちい》ることが少なく、終末期に最善を尽くしたことが、ペットロスの癒《いや》しになります。

1
悲しみを人に話す

悲しい気持ちをひとりで抱えるのはつらいものです。家族や友人に話して解放しましょう。思い出に変わるきっかけになります。

感情の整理

話すことで、思っていることや悲しみの原因が、より明確になることもあります。

2
無理せず がんばりすぎない

ペットロスがもたらす喪失感によって、日常生活に影響が生じるかもしれませんが、無理せずにゆっくり立ち直りましょう。

時間がかかっても大丈夫

がんばらないことは怠けではありません。自分の心とむき合う「心の準備期間」と考えましょう。

3
共感し合える人と話す

ペットを亡くした人に体験談を聞いたり、互いに思い出を話したりするのもよいことです。共感してもらえることが癒《いや》しになり、立ち直るきっかけにもなります。

心を開く

悲しみを共有すると、悲しみが半分になることもあります。素直な気持ちを言葉にしましょう。

つらさを受けとめる方法は人それぞれ。悲しみを乗り越える第1歩です。自分に合った方法を。

つらさを受けとめる対話

悲しみから抜け出すことが供養になる

猫を看《み》取《と》って十分に悲しんだ後は、つらさを受けとめてペットロスから抜け出す準備をはじめます。家族みんなが元気を取り戻せば、猫の供養にもなります。

　つらさを受けとめる方法は、さまざま。写真の整理や、遺品や被毛などで形見をつくる方法も。ペット霊園にお参りをしたり、遺骨が家にあれば、お花を供えたりして供養することもできます。愛猫への感謝を再認識すると、気持ちの整理もつきやすくなります。

別れのつらさで出会いを閉ざすのはもったいないこと。猫と過ごす楽しさを思い出しましょう。

猫との幸せな時間を思い出す

猫を亡くした悲しみを新たな猫が癒《いや》す

ペットロスから立ち直るために、新たな猫を迎える方法もあります。「前の猫に申し訳ない」と罪悪感を抱く方もいます。あるいは、「別れがつらくてもう動物を飼いたくない」という気持ちになるかもしれません。しかし、それは新たな出会いを閉ざしてしまうことになります。猫を亡くした悲しみを、新しい猫がきっと癒《いや》してくれるはずです。長い時間を楽しく過ごして最期《さいご》を看取《みと》ることも、家族と猫の幸せの形といえます。

巻末ふろく

今日の体調記録

年　月　日　曜日

体重　kg

体温　度

食べたごはんの量

g

飲んだ水の量

ml

おしっこの回数・状態

回数：　回

状態：色→

匂い→

うんちの回数・状態

回数：　　　　　　　　　　　　　回

状態：色→
　　　かたさ→

体の状態

目：瞳が常にまんまる・瞳が常に細い
　　目やに　有・無　　涙の量　多・少

耳：鳴き声の大きさ　大・中・小
　　汚れ→

体：足腰→
　　しっぽの位置→
　　しこり　有・無

メモ

注「ソファから落ちた」、「嘔吐した」など異変があればその時間、回数、状況を記入してください。

巻末ふろく

高齢猫標準値データ

体重や排泄の状態など、猫の不調が
あらわれやすい項目の正常値をまとめました。

体重

やせすぎ：体を触って、肋骨や背骨などがゴツゴツと分かる状態

適　　正：体を触って、肋骨や背骨などがわずかに分かる状態

太りすぎ：体を触って、肋骨や背骨などが分からない状態

体温　平熱：37.5度～39度

食べたごはんの量

猫の体調や体格に合わせて市販フードのパッケージにあるグラム数±20%

飲んだ水の量

体重 1kg あたり 50ml 以上の摂取は病気の可能性があります。ウェットフードは 75 ～ 80%、ドライフードは 5 ～ 10%が水分です。上記の 2 つを考慮して水を与えます。

おしっこの回数・状態

回数：24 時間以内に 1 回以上

状態：色→黄色くて透明

うんちの回数・状態

回数：1日1～2回

状態：色→ミルクチョコレートのような色
かたさ→やわらかすぎず、
適度なかたさがある状態

体の状態

目：瞳の大きさが左右で同じで、
揺れもない状態（P65）

耳：耳の中の表面に汚れが付着していな
状態（P45）

体：しっぽの位置→しっぽがいつも垂れて
いない状態
足腰→後ろ足のかかとが床についてい
ない状態（P63）
しこりがない状態（P80・82）

おわりに

愛猫と出会ったのはいつのことでしたでしょうか？　一緒に暮らしはじめてどれ位の月日がたちましたか？　猫じゃらしで一緒に遊んだ日もありました。落ち込んでいたあなたを慰めてくれたこともありました。そんな愛猫はあなたにたくさんの幸せを運んで来てくれたと思います。考えたくはないですが、そんな愛しい猫ともいつかはお別れをしなければなりません。

獣医療の現場ではどうしても、猫の「看取《みと》り」に遭遇することがあります。その際に私が一番願うことは、できるだけ家族が後悔しないようにしたいという事です。家族や猫の人生は十人十色（十猫十色？）です。そしてやはり「看取《みと》り」も家族や猫それぞれです。最期《さいご》のお別れのときはどうするのか？　どこまで医療を行い、どうなったら家で過ごさせてあげるのか？　元気なうちから看取《みと》りをどうするかをみなさんで相談しておいてください。猫を看取《みと》るまでに、いくつかの決断に迫られることがあるでしょう。ひとついえることは、猫の看取《みと》りの際に家族でよく話し合って出した決断は決して間違いではありません。愛猫のことは、みなさんが一番よく知っているからです。愛猫もみなさんと出会えて幸せだったと思っているはずです。

具体的に何を考えればよいか？　何を準備すればよいのか？　どんな心構えが必要か？　この本を読んでいただいたあなたの考えるヒントになれれば幸いです。

２０１５年1月1日　突然天国に旅立ってしまった我が家の愛猫ＰＵＭＡ君。獣医師である私に、命の儚さを教えてくれた猫でもありました。私たちに多くの幸せと笑顔を運んでくれたＰＵＭＡ君。今でもきっと、我が家にいる2匹の猫のＱＵＥＥＮちゃんとＫＮＩＧＨＴ君、そして私たち家族を見守ってくれているはず。

彼に恥じないよう少しでも多くの猫の命を救えたら本望です。

ＰＵＭＡ君をしのんで……

東京猫医療センター　服部幸

ネコのきもちがマルわかり

ネコの看取りガイド

増補改訂版

2022年9月 2 日　初版第 1 刷発行

監修者　服部 幸（東京猫医療センター）

発行者　澤井聖一

発行所　株式会社エクスナレッジ
〒106-0032
東京都港区六本木7-2-26
https://www.xknowledge.co.jp/

問合せ先　編集　Tel：03-3403-1381
Fax：03-3403-1345
info@xknowledge.co.jp
販売　Tel：03-3403-1321
Fax：03-3403-1829